Horst Burger

Warum warst du in der Hitler-Jugend?

Vier Fragen an
meinen Vater

Rowohlt

Horst Burger (1929–1975): Schauspielstudium, Theaterengagements, Ausbildung im grafischen Gewerbe, danach Redakteur und Schriftsteller.

Für das vorliegende Buch wurde Horst Burger 1978 postum mit dem Jugendmedienpreis der SPD Charlottenburg (Berlin) «Das rote Tuch» ausgezeichnet.

Namen- und Begriffserklärungen siehe Seite 156.

Didaktisches Papier zu diesem Buch siehe Seite 159/160

200.–203. Tausend Februar 1998

Veröffentlicht im Rowohlt Taschenbuch Verlag GmbH, Reinbek bei Hamburg, September 1978 / Copyright © 1983 by Rowohlt Taschenbuch Verlag GmbH, Reinbek / Copyright © 1976 der gebundenen Originalausgabe («Vier Fragen an meinen Vater») by Ensslin & Laiblin Verlag GmbH & Co. KG, Reutlingen / Umschlaggestaltung Barbara Hanke / Umschlagfoto Karl-Heinz Disselhoff unter Verwendung eines Fotos vom Ullstein Bilderdienst / Alle Rechte an dieser Ausgabe vorbehalten / Gesetzt aus der Garamond (Linotron 505 C) Gesamtherstellung Clausen & Bosse, Leck / Printed in Germany / ISBN 3 499 20194 1

Erste Frage

Ich weiß nicht – für manche ist das Wort Vater wie ein Kaugummi, an dem sie endlos rumkauen, bevor sie ihn ausspucken. Gerade so, als ob es sie eine Menge Überwindung kostete, sich daran zu erinnern, daß sie einen Vater haben, und es auch noch auszusprechen.

Die meisten sagen einfach «mein Alter» oder so. Das geht ihnen leicht von der Zunge. Dabei fallen keinem Sachen ein wie Vaterland, Vater im Himmel oder: «Du sollst Vater und Mutter ehren . . .» und all der andere Schmus, mit dem man früher die Menschen berieselte, um sie besser gängeln zu können. Heute läßt sich damit kaum noch ein Hund hinter dem Ofen vorlocken. Aber das Unbehagen an dem Wort ist nun mal da.

Zu verstehen ist das schon. Wenn man sieht, was manche Typen für Väter haben, kann man sie wirklich nur bedauern. Die machen den Mund auf, und heraus kommt immer dasselbe. Sie reden überhaupt nur mit einem, um zu erzählen, was sie früher für Kerle gewesen sind. Daß sie noch Ideale hatten, hart und anspruchslos waren, als es darum ging, das Vaterland erst zu ruinieren und später wiederaufzubauen. Wenn man sie so hört, dann haben sie ihr Leben lang gekämpft, damit wir, die Jungen, es einmal besser haben sollten. Hitler? Nein, dafür lehnen sie die Verantwortung ab. Sie waren noch zu jung damals.

Nichts gewußt von den Juden und den Konzentrationslagern. Und außerdem wäre ja auch vieles übertrieben worden. Auf jeden Fall hätte es unter Hitler solche Zustände wie heute nicht gegeben. Keine vergammelten Jugendlichen, Arbeitslosen, Kriminellen, Rauschgiftsüchtigen und Anarchisten. Das alles war damals von der Straße. Es herrschte Ordnung. Wer nicht spurte, bekam eins in die Schnauze. Damals gab es noch Autorität.

Es kann einem schlecht werden, wenn sie einem so kommen. Mich wundert gar nicht, daß das Wort Vater für viele nur noch ein ausgelaugter Kaugummi ist. Väter sind Glückssache.

Ich gebe zu, daß ich mit meinem eigentlich zufrieden bin. Von Kleinigkeiten abgesehen, ist er ganz erträglich. Was er sagt, hat Hand und Fuß. Und wenn ich ihn frage: «Wie war das denn früher mit diesem und jenem? Erzähl mal! Du warst doch dabei. Wie steht du heute dazu?», dann gibt er sich Mühe, eine plausible Antwort zu finden. Er macht es sich nicht leicht. Versucht nicht, sich rauszureden. Das finde ich gut, da hört man auch zu. Und man kommt nicht auf die Idee, zu sagen: «Laß mich doch zufrieden mit diesem ganzen Scheiß von früher. Wen interessiert das heute noch?»

Im Gegenteil. Wenn ich meinem Vater zuhöre, habe ich das Gefühl, daß wir uns viel zuwenig mit dem beschäftigen, was damals vor sich ging. Damit man einen Blick dafür kriegt, wie viele Schwierigkeiten passieren und auf welche Art. Und daß es Dinge gibt – auch heute –, gegen die man angehen muß, wenn man nicht einfach abschnallen will.

Fünf bis sechs Millionen Juden waren es, die Hitler in seinen Konzentrationslagern umbringen ließ. Man kann sich das überhaupt nicht vorstellen. Es geschah vor der Nase eines Sechzig-Millionen-Volkes, das von alledem nichts sah, nichts wußte, nichts ahnte. Oder nichts wissen wollte? Einfach die Augen zumachte? Die Menschen haben gelebt und gearbeitet, geliebt und gelacht – wie in einer freien, friedlichen Welt und nicht wie auf einem riesigen Schlachthof.

Heute ist allgemein bekannt, was damals geschehen ist. Es gibt Zahlen und Statistiken, die alles belegen. Doch wie es wirklich war, wie die Menschen dachten, was sie fühlten, was sie glaubten und hofften und was sie tatsächlich wußten – das kann man nur von ihnen selbst erfahren.

Mir fällt es nicht schwer, «Vater» zu sagen. Auch nicht, harte Fragen zu stellen. Es sind insgesamt vier, die für mich in diesem Zusammenhang wichtig sind. Mein Vater hat in langen Gesprächen versucht, sie mir zu beantworten. Die erste lautete: «Wie war das mit den Juden? Wie konntet ihr das zulassen? Oder habt ihr wirklich nichts davon gewußt?»

Walter Jendrich antwortet:

«Bei Kriegsende war ich so alt wie du – 16 Jahre. Das soll keine Entschuldigung sein. Aber es erklärt einiges. In diesem Alter übersieht man die Dinge nicht. Es fehlt an Wissen und vor allem an Erfahrung. Wir hatten bis dahin nur in eine Richtung denken gelernt.

Als mein Vater, dein Großvater also, im Herbst 1945 aus amerikanischer Kriegsgefangenschaft heimkehrte, war mir schon vieles aufgegangen. Mein Vater kam nicht auf Krücken aus dem Krieg zurück. Nicht in Lumpen, ausgezehrt und an Leib und Seele gebrochen. Er kam vor Gesundheit aus den Nähten platzend, wohlgenährt und gut gelaunt und versicherte, es sei eine Schande, daß man heute einen Mann wie Hitler mit Dreck bewerfe. Er habe schließlich nur das Beste gewollt und dem Deutschtum überall in der Welt wieder Geltung verschafft. Er werde sich nicht auf eine Stufe mit all den Charakterlumpen stellen, die den Führer verleugneten. Er sei Nationalsozialist gewesen und werde es auch bleiben.

In diesem Augenblick kam ich mir vor wie einer, der aus tiefem Schlaf erwacht und plötzlich glasklar erkennt, daß er in der Dunkelheit in einer falschen Behausung untergekrochen ist. Ich roch auf einmal den Gestank ringsum. Mein Gott, hatte ich auch einmal so gedacht? Und sollte es so weitergehen? Wie falsch und niederträchtig war alles. Von Anfang an. Wie weit würde man zurückgehen müssen, um den Ursprung der Verlogenheit zu finden?»

Wahrheit gibt es nicht nur eine

Sie hatten Gerhard Wandres nicht ins Wasser geworfen. Aber das Bild setzte sich fest. Schuldgefühle sind immer eine Frage des Erinnerungsvermögens. Sie bleiben nicht nur bei Auschwitz und Lidice gegenwärtig. Es war Anfang August 1934. Die Fassaden der Kleinstadthäuser starrten von Fahnen. Ein paar schwarz-weiß-rote, meist aber solche mit dem Hakenkreuz in der Mitte. Fast alle hatten sie am oberen Ende einen

Trauerflor. Zum Gedenken an den Reichspräsidenten, der gerade gestorben war.

Die Trauer der Menschen schien echt. Für viele war mit Hindenburg der letzte Vertreter preußisch-deutscher Redlichkeit von der politischen Bühne abgetreten. Und sie ahnten, daß nun jenen wildgewordenen Gefreiten namens Hitler nichts und niemand mehr hindern würde, das Kasernentor aufzustoßen, hinter dem seine vielbeschworene neue Zeit lag.

Für den fünfjährigen Walter Jendrich war Hindenburg der Größte. Sein viereckiger Kopf mit dem weitgeschwungenen Schnurrbart und dem treuen Bernhardinerblick flößte Vertrauen ein. Doch dem Kopf hätte Entscheidendes gefehlt, wäre nicht der Helm gewesen. Erst die mit glanzvollen Beschlägen verzierte Pickelhaube machte den Mann aus, den Walter Jendrich bewunderte. Er selbst besaß auch so einen Helm mit einer Messingspitze. Er stammte von Onkel Erich, der im Ersten Weltkrieg gefallen war. Nichts Schöneres gab es für Walter Jendrich, als Soldat zu spielen und einen Helm auf dem Kopf zu haben. Einen richtigen Kopf konnte er sich ohne Helm überhaupt nicht vorstellen. Ein Kopf ohne Helm – das war gar nichts. Walter Jendrich hatte die Pickelhaube an diesem Tag zu Hause gelassen. Obwohl sie eigentlich Soldaten spielen wollten. Ihre Kanone hatten sie mitten auf dem Paradeplatz in Stellung gebracht. Das auf Kinderwagenräder montierte Ofenrohr war auf die langgestreckte Reithalle gerichtet. Den weißgestrichenen Leiterwagen hatten sie beiseite geschoben. Er diente lediglich dazu, die Kanone anzuhängen. Mit diesem Gespann rasselten sie mit Vorliebe über das Kopfsteinpflaster, daß die Leute die Köpfe aus den Fenstern streckten. Und wohlwollend vermerkten die meisten, daß die «Artillerie» wieder unterwegs war. «Hindenburg haben sie auf eine Kanone gelegt und auf den Friedhof gefahren, als er tot war», sagte Günther Breitner, der älteste der Jungen. Er ging schon in die zweite Klasse; er kommandierte und bestimmte, was gemacht wurde.

«Warum denn auf eine Kanone?» wollte Karlaugust Budde

wissen. Er war der Jüngste und hatte immer eine mächtige Dogge bei sich, die genausogroß war wie er. «Warum nehmen sie denn kein Massinengewehr?» Karlaugust lispelte ein wenig.

«Weil ein Maschinengewehr keine Räder hat, du Dussel. Willst du vielleicht einen Toten auf ein MG* binden und ihn in der Gegend rumschleppen?» Günther verdrehte die Augen vor soviel Unverstand. «Warum ist eigentlich Helmut nicht da?»

Walter Jendrich zuckte mit den Schultern. «Sei froh, daß er nicht da ist. Der macht ja doch nicht gern mit. Und dann will er immer bloß das Pferd sein, damit er den Wagen ziehen kann.»

«Wagenssiehen ist Quatss», meinte Karlaugust verächtlich.

«Nein, es ist kein Quatsch», widersprach Günther. «Weil wir diesmal den toten Hindenburg ziehen. Und da kann jedes Pferd stolz drauf sein. Du ziehst also, verstanden? Deinen Hund kannst du ja mit anspannen. Der ist beinahe wie ein richtiges Pferd.»

«Ich will aber lieber tot sein», sagte der Kleine bockig.

«Den Hindenburg muß Walter spielen, weil er einen Spitzhelm hat.»

«Aber er hat ihn nicht dabei.»

Günther Breitner stampfte zornig mit dem Fuß auf. «Dann muß er ihn halt holen. Los, mach!»

«Ich spiel nicht mehr mit!» sagte Walter Jendrich, obwohl sie noch gar nicht angefangen hatten. «Ich geh zum Bleichgraben, vielleicht kann man Fische sehen.»

«Bleib da!» rief ihm Günther nach. «Wer soll denn jetzt den Hindenburg spielen?»

«Nehmt doch Gerhard Wandres. Dort kommt er.»

«Den? Kommt überhaupt nicht in Frage. Der ist ja noch als Toter zu dämlich.»

Der Bleichgraben war ein Bach, der zwischen Reithalle und Zeughaus am Paradeplatz vorüberfloß. Die gemauerte Bö-

* Namen- und Begriffserklärungen siehe Seite 156.

schung war auf dieser Strecke durch ein einfaches Eisengeländer gesichert.

Walter Jendrich fragte sich später noch oft, was ihn gerade in diesem Augenblick zum Bleichgraben gezogen hatte, als er Gerhard Wandres vom Zeughaus her kommen sah. Vielleicht tat ihm der blasse Junge mit den komischen Hosen, die bis an die Knie reichten, leid. Vielleicht wollte er ihm an diesem Tag die Demütigung ersparen, wieder nicht mitspielen zu dürfen. Am Bleichgraben waren sie wenig später alle wieder zusammen. Auch Gerhard Wandres.

Günther Breitner saß auf der obersten Stange des Geländers und hielt sich mit beiden Händen fest. «Oh, ein Fisch!» rief er und deutete in das brackige Wasser, das träge über die Steine floß. «Ich sehe einen Fisch, der ist so groß wie ein . . .» Es fiel ihm nicht ein, wie groß der Fisch war.

«Wo, wo?» Karlaugust drängte neugierig nach vorn, doch die Dogge stellte sich ihm knurrend in den Weg und ließ ihn nicht ans Wasser.

Gerhard Wandres dagegen war schon unter dem Geländer hindurchgeschlüpft. Er wollte zeigen, daß er keine Angst hatte, und es Günther gleichtun. Aber auf die oberste Stange wagte er sich nicht. Er saß auf der Böschungsmauer, das Gestänge in seinem Rücken, und ließ die Beine über die Uferwand hinunterhängen. «Fische», sagte er. «Es sind ganz viele.»

Natürlich waren da keine Fische. Walter Jendrich blickte über Gerhards Kopf hinweg auf die Schlinggewächse, die sich an mehreren Stellen unter dem Wasserspiegel wie langes grünes Frauenhaar bewegten. Immer stellten sie sich vor, daß das Fische seien. Kalte, schlüpfrige Ungeheuer, die jeden in die Tiefe zogen, der ihnen zu nahe kam.

Gerhard Wandres beugte sich so weit vor, daß Walter das kleine Muttermal in seinem Nacken sehen konnte. Er stand direkt hinter ihm, hatte die schmächtigen Schultern vor sich, den hochgerutschten Pullover, unter dem der Hosenbund und ein Stück der altmodischen Hosenträger sichtbar wurden.

Wenn ich ihm jetzt einen Schubs gebe ... Der Gedanke war ganz plötzlich da und ließ sich nicht mehr beiseite schieben. Walter spürte, wie ihm das Herz bis zum Hals hinauf schlug. Immer kleiner wurde die Angst, das: «Du darfst nicht», die Vorstellung, was sein würde, wenn es passierte. Der Drang, es zu tun, wurde immer mächtiger. Er schloß die Augen und atmete tief ein.

Er hörte es nicht einmal plumpsen. Als er die Augen wieder aufschlug, war Gerhard Wandres verschwunden. Der unterdrückte Entsetzensschrei von Günther und die Art, wie er sich vom Geländer löste, ohne den Blick vom Wasser zu wenden – das erst machte Walter bewußt, was geschehen war. Nun packte ihn der Schreck mit einem würgenden Griff und nahm ihm die Stimme. Seine Glieder schienen wie gelähmt. Er war außerstande, sich zu bewegen.

«Jess iss er ins Wasser gefallen!» Die Stimme von Karlaugust kam wie aus weiter Ferne. Der Kleine stand hinter seinem Hund, die Augen weit aufgesperrt. «Warum kommt er nicht wieder raus?» Er konnte nicht begreifen, daß hier nichts mehr rückgängig gemacht werden konnte.

Von Gerhard Wandres war nichts mehr zu sehen. Die Strömung hatte ihn fortgezogen, um die Flußbiegung hinter dem Zeughaus. Kein Schrei war zu hören gewesen. Offenbar war er mit dem Kopf auf einen der Steine geschlagen, die überall aus dem Wasser ragten. Walter Jendrich stand noch immer regungslos, so als hätte ihn der Blitz getroffen. Das prickelnde Phantasiebild war schreckliche Wirklichkeit geworden. Er hatte Gerhard Wandres ins Wasser gestoßen, daran war kein Zweifel. Oder doch? Ein schwacher Hoffnungsfunke begann zu glimmen. Vielleicht hatte er alles nur geträumt. Hatte sich den Schubs nur vorgestellt. Und Gerhard hatte eben das Gleichgewicht verloren, war abgerutscht – ganz von selbst.

Er zwang sich, in Günthers Gesicht zu sehen. In den ratlosen, schreckensbleichen Zügen stand alles mögliche. Doch nicht der erwartete Vorwurf. Nicht das gefürchtete: «Was hast du getan?» Statt dessen murmelte Günther so etwas wie: «Er ist weg! Er hat sich zu weit nach vorn gebeugt. Ich hole Vater. Jetzt kriegen wir alle Dresche!» Er rannte los, hinter das Zeughaus, wo seine Eltern wohnten.

Karlaugust Budde klammerte sich an das Halsband seiner Dogge. «Ich will nach Hause», sagte er weinerlich. «Ich will zu meiner Mutti!»

Aber da waren schon ein paar Leute um ihn herum und versuchten ihn zu trösten. Rufe. Fragen. Und keiner kümmerte sich um Walter Jendrich. Er stand allein und kam sich vor wie Judas, der seinen Herrn verraten hat. Eine Geschichte, die ihnen die Großmutter immer wieder erzählte.

Hans Breitner, Günthers Vater, kam mit langen Schritten über den Platz. Er warf einen kurzen Blick auf Walter. Dann schwang er sich über das Geländer und ging ein Stück am fließenden Wasser entlang. Natürlich entdeckte auch er nichts mehr. Er kam zu den Jungen zurück, noch bevor die beiden Polizisten auf dem Motorrad an der Unglücksstelle eintrafen.

Da kam Bewegung in Walter Jendrich. Mit schnellen Schritten ging er auf den Vater seines Freundes zu. «Ich hab ihn geschubst!» stieß er atemlos hervor und war froh, daß nun alles gesagt war. Sollten sie mit ihm machen, was sie wollten. Für einen kurzen Moment fielen ihm seine Eltern ein, die von alledem nichts ahnten.

Dann sah er nur Hans Breitner, der ernst und prüfend auf ihn herabblickte. Eindringlich, fast befehlend hörte er ihn sagen: «Gerhard ist von selbst ins Wasser gestürzt. Niemand hat ihn gestoßen. Merk dir das! Er war einfach zu unvorsichtig. Hat sich zu weit nach vorn gebeugt. Wenn dich die Polizei fragt» – er sah beschwörend auf Walter herab –, «dann sag nicht, daß du ihn hineingestoßen hast. Denn es ist nicht wahr. Und man muß immer die Wahrheit sagen. Hast du verstanden?»

Die Polizisten wollten es genau wissen. Sie knöpften sich vor allem Günther vor, weil er der Älteste war. Aber sie verschonten auch den kleinen Karlaugust nicht, der heulend den Arm um seine Dogge gelegt hatte.

Walter empfand die Fragen wie Messerstiche. «Wo hast du gestanden? Zeig genau die Stelle! Wie weit hat er sich vorgebeugt? Warum hast du ihn nicht festgehalten? Gib's zu, du hast ihm einen Tritt gegeben! Natürlich wolltest du nicht, daß er ins Wasser fällt. Aber dann war es auf einmal passiert. Ist es so gewesen? Nun sag schon!»

Walter biß die Zähne zusammen und schüttelte nur immer wieder den Kopf. Dabei suchten seine Augen Hans Breitner, den die Polizisten nach ein paar Fragen beiseite geschoben hatten. Von ihm war keine Hilfe zu erwarten. Wie aus weiter Ferne hörte Walter einen der Polizisten zu Günther sagen, daß er mit auf die Wache kommen müsse, wegen des Protokolls.

Er hatte Angst, er konnte die Tränen nicht mehr zurückhalten. Fast war er bereit, die Polizisten anzuflehen: Bitte, bitte, sperrt mich nicht ein! Ich will es ganz bestimmt nicht wieder tun. Laßt mich nach Hause, bitte! Warum sollte er sich jetzt «zusammenreißen», wie man es ständig von ihnen verlangte? Alle hatten bemerkt, daß er heulte. Wozu sich noch verstellen und den Tapferen spielen?

Da geschah etwas Seltsames, das Walter lange Zeit nicht begreifen konnte, nicht begreifen wollte. Ein Mann drängte sich energisch durch die Menge. Ein Mann in der braunen Bluse der SA. Doch trug er schwarze Stiefelhosen und eine schwarze Mütze mit einem silbernen Totenkopf. Er bot gewiß keinen ungewöhnlichen Anblick in diesen Tagen, in denen es auf den Straßen von Uniformen wimmelte. Auch Walter, der sich wie die anderen für alles interessierte, was nur entfernt nach Militär aussah, auch er wußte sofort, daß der Mann der SS angehörte.

Er kannte die SS, und er kannte den Mann in der Uniform. Er wohnte in derselben Straße wie die Jendrichs, nur ein paar Häuser weiter, wo Walters Onkel eine Schuhmacherwerkstatt betrieb. Er lehrte am Gymnasium. Daß er auch als Uniformierter etwas zu sagen hatte, was allgemein respektiert wurde, zeigte sich nun. Die Polizisten nahmen augenblicklich

13

Haltung an. Dann berichteten sie dem SS-Führer, der gleich zu Anfang Walter aufmunternd zugenickt hatte.

Walter hatte auf einmal keine Angst mehr. Ihm fiel ein gewaltiger Stein vom Herzen, als der Mann mit der schwarzen Mütze nach einer Weile auf ihn zutrat und ihm die Hand auf die Schulter legte. «Ein deutscher Junge weint nicht», sagte er scharf, doch es klang nicht unfreundlich. «Und du bist doch ein deutscher Junge, oder nicht?» Als Walter nickte, fuhr er fort, indem er ein Auge zukniff. «Ich kenne deinen Vater. Er ist in Ordnung. Geh jetzt nach Hause. Und hab keine Angst. Wir werden das Kind schon schaukeln.»

Die Leute ringsum machten Walter bereitwillig Platz. Er blickte weder nach rechts noch nach links. Wo Günther und Karlaugust geblieben waren – er wußte es nicht. Er wollte jetzt nur weg von hier. Sonst nichts.

Im Vorbeigehen schnappte er noch ein paar Worte auf, die der SS-Führer mit den Polizisten wechselte: «Buchbinderei Wandres . . . Juden . . .» Dann war er mit sich allein.

Ja, die Eltern von Gerhard Wandres hatten einen kleinen Buchbinderladen an der Ecke Schul- und Kapuzinerstraße. Auch daß die Frau Jüdin war, wußte Walter, ohne sich etwas darunter vorstellen zu können.

Er entsann sich, daß sein Vater einmal davon gesprochen hatte. Und er erinnerte sich plötzlich, daß es ziemlich abfällig geklungen hatte.

Eine seltsam bedrückende Ahnung stieg in ihm auf. Hatte man ihn vielleicht nur deshalb laufenlassen, weil sie die ganze Sache nicht so schlimm fanden? Weil Gerhard Wandres und seine Mutter Juden waren?

Lange Zeit sah Walter Jendrich den SS-Führer nicht mehr. Vielleicht hätte er ihn vergessen, wenn es nicht eines Tages zu einer neuen Begegnung gekommen wäre. Vier Jahre später, an einem Novembertag 1938. Walter Jendrich ging bereits in die erste Klasse des Gymnasiums.

«Damit du es einmal besser hast als ich», sagte sein Vater, der nach zwölfjähriger Dienstzeit beim Militär einen mittleren Beamtenposten bekleidete. Er hatte die Hungerjahre nach dem Ersten Weltkrieg, die Inflation und die große Wirtschaftskrise mit über sechs Millionen Arbeitslosen nicht vergessen. Deshalb sah er in Hitler den Retter aus der Not. Ihn und keinen anderen. Und gaben ihm die Ereignisse nicht recht? Brauchte das Land nicht einen starken Mann, der das Parteiengezänk beendete und das Übel an der Wurzel packte? Walter machte sich nicht viele Gedanken darüber. Man sprach jetzt von «Volksgemeinschaft» und «Gemeinnutz geht vor Eigennutz». Das hörte sich auch gut an. Was war dagegen einzuwenden? Und dann die schneidigen Aufmärsche, Paraden, Kundgebungen. Auch daran konnte Walter nichts Schlechtes finden. Brachte es doch Abwechslung in die kleine Stadt. Im nächsten Jahr würde auch er in einer der braunen Kolonnen marschieren. Sobald er zehn war, konnte er in das Jungvolk eintreten. Durfte vielleicht die Fahne tragen. Oder im Fanfarenzug die Landsknechttrommel schlagen. Dafür nahm er selbst die braune Uniform in Kauf, die er nicht mochte. Für ihn war das traditionelle Feldgrau des Soldaten die einzige Farbe, in die sich seine Ideale kleiden ließen.

An Idealen herrschte kein Mangel. Daß sie alle aus derselben modrigen Kiste kamen – wie hätte es Walter beurteilen können? Wenn man neun Jahre alt ist, hat das Wort «Deutschland» einen besonderen Klang. Zumal, wenn es einem ständig in die Ohren geblasen, gebrüllt, gesungen und deklamiert wird. Es war eine große Zeit, und da hatte man stolz auf Deutschland zu sein, das nun wieder etwas galt in der Welt. So hieß es. Und Heil dem Führer und seiner Partei, die wieder Ordnung geschaffen und den Totengräbern des Reiches – den Gaunern und Schiebern, den Kommunisten und Sozialisten und vor allem den Juden – das Handwerk gelegt hatten. Die Deutschen waren das tapferste, fähigste, fleißigste, treueste und überhaupt das wertvollste Volk der ganzen Welt. Und wer das etwa bezweifelte, der tat gut daran, dies nicht laut zu tun, wenn er nicht seine Existenz gefährden wollte. Aber da es nicht allzu viele Riskierer gab, von denen man hörte, schien alles seine Richtigkeit zu haben.

In der Klasse saß er neben Beppo Braun. Sie waren gute Freunde und hatten in dreijähriger Schulzeit neben Schreiben, Lesen und Rechnen auch die Tricks gelernt, die man den Lehrern gegenüber beherrschen mußte, um als ganzer Kerl zu gelten. Dazu gehörte seit eh und je das angesägte Schulkatheder ebenso wie die Stinkbomben und die Reißzwecken unter dem Lehrersitz, die Kaulquappen im Tintenfaß, das Niespulver im Klassenbuch und was dergleichen Streiche mehr sind. Besonders Beppo Braun zeichnete sich durch immer neue Einfälle aus. Dank seines kahlgeschorenen Hinterkopfs und der lustigen Schweinsäuglein hatte er die Lacher immer auf seiner Seite. Er gab sich jedenfalls alle Mühe, der Rolle eines Klassenclowns gerecht zu werden. Besonders gut konnte er Fräulein Wallners scharfe, keifende Stimme nachahmen.

Sie war zweifellos eine Respektsperson. Meist trug sie eine graue Strickbluse, die von roten, verschnörkelten Wollschnüren durchbrochen war. Diese Schnüre endeten in zwei goldglänzenden Metallspitzen. Fräulein Wallner sah in dieser Bluse aus wie ein Operettengeneral. Manche behaupteten auch wie der Portier vom Hotel Terminus. Ihr glattes, enganliegendes Haar, die spitze Nase und die stechenden Augen taten ein übriges, den energischen Eindruck zu verstärken.

Die Lehrerin gab Deutschunterricht, den sie hauptsächlich dazu benutzte, von der ruhmreichen deutschen Vergangenheit zu erzählen. Ihre Schüler spitzten die Ohren, weil alles sich anhörte wie ein schönes Märchen. Mit leuchtenden Augen berichtete sie von Hermann dem Cherusker, der die hinterlistigen Römer aus den deutschen Eichenlaubwäldern vertrieben hat. Sie schwärmte von dem schönen jungen Goethe und sprühte Gift und Galle gegen Franzosen, Engländer und all die anderen, die das deutsche Volk nach seinem heldenhaften Kampf 1914 bis 1918 mit dem Schandfrieden von Versailles bis aufs Blut gedemütigt hatten. Doch dann war der

Führer gekommen. Zug um Zug tilgte er die Schande und gab den Deutschen ihren Stolz wieder.

Gestern morgen war Lettow-Vorbeck an der Reihe gewesen, der Wüstenfuchs des Ersten Weltkrieges. Fräulein Wallner wurde nicht müde, das Loblied des Generals zu singen, der mit 3000 deutschen Schutztrupplern und 11000 schwarzen Askaris vier Jahre lang der Übermacht von 36000 überlegen ausgerüsteten britischen Soldaten getrotzt hatte.

Heute nun sollte Albert Leo Schlageter dran sein. Mit ihm hatte es folgende Bewandtnis: 1923 besetzten die Franzosen das Rheinland – sozusagen als Strafe dafür, daß Deutschland mit seinen Wiedergutmachungszahlungen, die es für den verlorenen Krieg leisten mußte, nicht mehr nachkam. Daraufhin formierten sich Widerständler, die im sogenannten Ruhrkampf Terrorakte gegen die Franzosen verübten. Sie überfielen Versorgungsstationen, sprengten Brücken und Bahngleise. Einer von ihnen war Schlageter. Den ehemaligen Offizier erhob man zu einer Art Nationalheld, als er von den Franzosen geschnappt und standrechtlich erschossen wurde.

Fräulein Wallner hatte eine besondere Schwäche für Albert Leo Schlageter. Vielleicht, weil er aus ihrer Heimat, dem Schwarzwald, stammte. Vielleicht aber auch, weil ihr der Name so gut gefiel. Sie sprach ihn fast zärtlich aus und konnte fuchsteufelswild werden, wenn einer mit der Betonung der Silben nicht zurechtkam.

«Wie hieß der tapfere Freiheitskorpskämpfer, der auf der Golzheimer Heide erschossen wurde?» fragte sie lauernd, und ihr spitzer Zeigefinger deutete auf Beppo Braun, als wollte sie ihn durchbohren.

Der erschrockene Beppo erhob sich und zwinkerte angestrengt in die Runde. «Er hieß . . . er hieß . . .»

«Na?»

«Alfred . . .» druckste Beppo hervor, und sein Gesicht war voller Hoffnung.

Doch die Lehrerin schüttelte unwillig den Kopf. «Albert», half sie. «Albert – Leo . . .»

In Beppos Gesicht ging die Sonne auf. «Schlagetter!» sagte er strahlend.

«Wie?»

Noch einmal kam es im Brustton der Überzeugung: «Schlagetter!»

Da klatschte es auch schon ein paarmal. Aber die Ohrfeigen waren halb so schlimm. Beppo hatte rechtzeitig und gekonnt die Handflächen vor das Gesicht gezogen und hielt so fast mühelos dem Trommelfeuer des zornigen Fräuleins stand. Kein einziger Schlag traf dahin, wo er sollte. Da stampfte die Lehrerin mehrmals mit dem Fuß auf. Sie machte kehrt und segelte wie eine Fregatte mit leichter Schlagseite zum Katheder zurück. Dort holte sie ein paarmal tief Luft und ging erneut zum Angriff über. Diesmal gegen die ganze Klasse, die verstohlen feixte.

«Der Mann hieß Schlahgdr!» betonte sie übertrieben und ging von einem zum anderen. «Wie hieß er?»

Die Antworten kamen ganz verschieden. Bald zögernd und unsicher, dann wieder forsch und wie aus der Pistole geschossen: «Schlaahgdr – Schlllllllgdrrrr – Schla – Schla . . .» Zwischendurch klatschte es, wenn einer Schlagetter sagte. Aber die meisten schafften es gerade.

Am Schluß war sie wieder bei Beppo Braun angelangt. «Man muß unsere Helden in lebendiger Erinnerung halten», erklärte sie, «deshalb spricht man auch ihre Namen richtig aus. Ich hoffe, daß du es jetzt gelernt hast. Wie also heißt der Mann?» fragte sie drohend.

Beppo Braun nahm einen mehrfachen Anlauf. Seine Äuglein verwandelten sich im Eifer zu kleinen Schlitzen. Es sah aus, als ob er das Ganze zum Totlachen fände.

Das wiederum reizte Fräulein Wallner sichtlich. Sie fauchte wie eine Katze: «Na, wird's bald!»

«Schsch . . . Schschsch . . . Schlaaaa . . .» Der Rest platzte wie ein Ballon, wenn der Luftdruck zu hoch geworden ist. «. . . gettterr!»

Und da platzte auch Fräulein Wallner. Ihre spitzen Finger

kniffen sich in Beppo Brauns Wangen fest, und sie kreischte: «Ich drücke dich an die Wand, daß du quiiiiietschest!»

Nach diesem befreienden Aufschrei wurde sie wieder normal. Seufzend verwandelte sie sich vom Rumpelstilzchen in die Lehrerin zurück. Mit hängenden Schultern setzte sie sich zur Tafel ab, um im Unterricht fortzufahren.

Alle erinnerten sich noch gut an die Einzelheiten dieser Stunde. Und nun waren sie gespannt wie Flitzbogen, ob sich beim Thema Schlageter das packende Schauspiel noch einmal wiederholen würde.

Aber es wiederholte sich nicht. Es war überhaupt nicht die Rede von Albert Leo Schlageter an diesem frühen Novembermorgen. Fräulein Wallner hatte ein ganz anderes Thema. Sie erschien bleich und bedrückt. An ihren geröteten Augen konnte man sehen, daß sie geweint hatte.

Was war geschehen?

Keiner wußte es so recht. In der Nacht war die Synagoge abgebrannt, und zahlreiche jüdische Geschäfte waren demoliert worden. Einige der Schüler, die auf ihrem Weg die Innenstadt durchquerten, mußten stellenweise über Scherben und zerschlagene Schaufensterartikel steigen. Doch allzuviel war nicht zu sehen gewesen. Das Stadtbild beherrschten die Uniformen der SA, der SS und die einiger Polizisten.

«Die Juden haben einen Aufstand machen wollen», wußte Wilfried Huber, der Klassenbeste, zu berichten. «Aber die SS hat es gemerkt und sofort zurückgeschlagen. Sie hat uns vor den Juden beschützt.»

«Das ist doch Quatsch», fand Egon Elsner. «Es war so: Die Polizei hat nach Kommunisten gesucht und dann einige in jüdischen Geschäften versteckt gefunden. Als sie verhaftet werden sollten, ist es dann zu Schlägereien mit den Polizisten gekommen. Da hat's halt Scherben gegeben.»

Für Ottmar Ziesel schließlich gab es keinen Zweifel: «Die Synagoge haben die Juden selber angezündet. Jeder weiß doch, daß sie alle von Natur aus Gauner und Brandstifter sind. Deshalb werden sie jetzt auch eingesperrt.»

Es waren die wildesten Gerüchte, mit denen sich die Jungen gegenseitig zu übertrumpfen suchten. Einigkeit bestand nur darin, daß die Juden an allem schuld seien. Und daß man sie einmal richtig bestrafen müsse.

Walter Jendrich war völlig ahnungslos. Sein Schulweg führte nicht durch das Geschäftsviertel. So erfuhr er erst in der Klasse, was sich in der Nacht ereignet haben sollte. Er konnte nicht glauben, was er hörte. Und wollte es auch nicht.

Als nun Fräulein Wallner überraschend das Thema aufgriff, spitzten alle die Ohren wie selten im Unterricht.

Die Lehrerin schien die Jungen gar nicht wahrzunehmen. Sie stand am Fenster und blickte hinüber zu den alten Bäumen im Park. «Das hätte nicht geschehen dürfen», sagte sie. «Nein, es ist nicht gut, wenn geschlagen und zerstört wird.»

«Den Juden geschieht ganz recht», unterbrach sie der vorlaute Wilfried Huber. «Die haben Deutschland verraten. Und jetzt bringt man ihnen Zucht und Ordnung bei und richtig Arbeiten.»

Da fuhr Fräulein Wallner zornig herum. «Still! Sei sofort still! Du weißt ja nicht, was du redest! Was haben denn diese Menschen verbrochen, daß man so mit ihnen umgeht? Nichts haben sie sich zuschulden kommen lassen. Sie tun genauso ihre Arbeit und ihre Pflicht wie wir. Viele von ihnen waren im Krieg tapfere Soldaten. Sie haben Deutschland nicht verraten, sondern für dieses Land gekämpft und ihr Leben hingegeben wie andere auch.»

Wilfried Huber duckte sich unter diesen Worten. Er bereute, daß er so unbedacht dahergeredet hatte.

Doch Ottmar Ziesel, dessen Vater politischer Leiter war, muckte auf. Weil die Worte der Lehrerin so gefährlich anders klangen als das, was er von zu Hause her gewohnt war. Mit einem Ruck warf er den Kopf zurück. «Juden sind keine Menschen», bemerkte er aufgeregt. «Sie sind Blutsauger und Schmarotzer, die man ausrotten muß. Die Juden sind unser Unglück. Heil Hitler.»

Er setzte sich wieder. Sichtlich froh darüber, daß man ihn

ungehindert hatte reden lassen. Wahrscheinlich war ihm gar nicht klar, was er da aus dem Wortschatz seines Vaters nachgeplappert hatte. Doch glaubte er bestimmt, etwas ganz Gescheites von sich gegeben zu haben und war nun stolz.

Erstaunlicherweise explodierte Fräulein Wallner diesmal nicht. Sie schüttelte nur energisch den Kopf und blickte über Ottmar Ziesel hinweg, als sie mit fester Stimme antwortete: «Nein und abermals nein. Dafür hat unser Führer nicht gekämpft. Dafür hat er Deutschland nicht aus der Schmach erlöst und von seinen Fesseln befreit. Dafür hat er den Menschen nicht Arbeit und Brot gegeben, daß sie jetzt hingehen und sein Werk auf diese Weise beschmutzen. Wenn das der Führer wüßte – er würde es nicht zulassen . . .»

Sie war tief bewegt und dabei fest davon überzeugt, daß Hitler keine Ahnung davon hatte, was man den Juden antat. Die Menschen waren böse, doch der Führer war rein und edel. Er kannte die Vorgänge nicht, sonst hätte er sie verhindert.

Vielen leuchtete das ein, und sie nickten bei diesen Worten. Sie konnten sich auch nicht vorstellen, daß der Führer etwas Böses im Sinn haben sollte. Er hatte in diesem Jahr Österreich heimgeholt ins Reich und das Sudetenland. In der Wochenschau konnte man sehen, wie ihm die Menschen zujubelten. Alle liebten ihn, weil er so ein guter Mensch war. Er hatte auch einen schönen Schäferhund. Und wenn Kinder in seiner Nähe waren, fuhr er ihnen immer übers Haar. Nein, nein, Adolf Hitler wollte nur das Beste. Und wenn mit den Juden etwas Unrechtes geschah, dann hatte er bestimmt nichts damit zu tun. Dann waren die Juden selber daran schuld. Oder die Kommunisten. Die hetzten ja immer und wollten das bolschewistische Chaos. Das kannte man. In jeder Zeitung stand es.

Walter Jendrich hatte ein ungutes Gefühl. Er wußte nicht, warum. Ganz unvermittelt fiel ihm Gerhard Wandres ein, den er schon beinahe vergessen hatte. Die kleine Buchbinderei an der Ecke gab es immer noch. Ob man auch dort die Scheiben eingeschlagen hatte?

Walter konnte bis zur Pause nichts anderes mehr denken. Mit einemmal war alles so unwichtig geworden. Nur eines zählte noch, und die Ungewißheit brachte ihn fast um: ob sie bei der Buchbinderei Wandres auch die Schaufenster eingeschlagen hatten.

Endlich klingelte es zur großen Pause.

Seltsam. Auf dem Schulhof wurde diesmal nicht wie üblich gelärmt. Kein Gerenne, kein Gerangel. Die Schüler, selbst die jüngeren, standen in Gruppen beisammen und blickten zur Turnhallenwand hinüber, die ein Stück weit in den Schulhof hineinragte.

«Was ist los? Was gibt's da?» wollte Walter Jendrich wissen.

Beppo Braun zuckte mit den Schultern. «Da soll was mit den Juden sein.»

Einer aus der siebten Klasse schlenderte heran. «Klar, Mann», sagte er grinsend und wies auf die vergitterten Kellerfenster der Turnhalle. «Sie haben die alten Stinker da unten am Wickel. Da wird mit ihnen exerziert. Ist Zeit, daß die das auch mal lernen. Hoffentlich werden sie ordentlich geschliffen!» Er lachte schadenfroh wie einer, der sagen will: Warum soll es denen besser gehen als uns? Wir werden ja auch die ganze Zeit herumkommandiert.

Zur Turnhallenwand durfte niemand. Dort stand der Hausmeister und jagte jeden zurück, der einen Blick durch die Gitter werfen wollte. Auch Walter Jendrich versuchte es vergebens. Da ging er zum Klo neben den Fahrradständern und schloß sich ein, bis die Pause vorüber war.

Er wartete noch eine Weile, nachdem es geläutet hatte. Dann ging er hinaus. Der Schulhof lag wie ausgestorben da. Auch der Hausmeister war verschwunden. Trotzdem vermied es Walter, quer über den Hof zu laufen. Er schlich sich am äußersten Rand entlang zur Turnhalle hinüber. Dort kniete er nieder und preßte die Stirn an die kalte Mauer. Und während er durch das engmaschige Gitter eines der Fenster blickte, stockte ihm der Atem.

Er sah in einen breiten, spärlich erleuchteten Kellergang hinunter. Dort hatte man die Juden in einer Reihe aufgestellt. Lauter Männer, jüngere und ältere. Die Frauen standen zusammengepfercht weiter hinten im Halbdunkel. Die in der Reihe verharrten mit ausgestreckten Armen in einer halben Hocke, das rechte Bein vorgestreckt. Ein SS-Mann mit Trillerpfeife zwischen den Zähnen kommandierte diesen «Sport». Auf jeden Pfiff mußten die Juden in den aufrechten Stand zurück, beim nächsten wieder in die Hocke. Ein paar SA-Leute, die hinter ihnen standen, sorgten dafür, daß alles klappte. Sie hatten die Koppeln abgeschnallt und hielten sie schlagbereit. Wer schlappmachte, bekam den Riemen samt Schloß über den Schädel. Man konnte das dumpfe Klatschen und die Aufschreie deutlich hören. In den meisten Gesichtern waren Spuren der Schläge sichtbar. Sie waren verschwollen und blutverkrustet. Einer hatte einen breiten Riß unter der Braue. Das Blut lief ihm ins Auge und über das Gesicht.

Die Pfiffe kamen immer schneller. Die in der Reihe versuchten mühsam das Tempo zu halten. Ihre Bewegungen wirkten grotesk wie die von Figuren aus einem Charlie-Chaplin-Film. Mit verzerrten Gesichtern balancierten sie auf einem Bein, schwankend unter der ungewohnten Anstrengung.

Zwei schafften es nicht mehr und machten schlapp. Sie fielen plump zu Boden, zuckten, zogen die Arme vor den Kopf, um sich vor Schlägen zu schützen.

Walter Jendrich klammerte sich zitternd an das Gitter. Er war nicht imstande, aufzustehen und wegzulaufen. Er litt mit den geschundenen Gestalten im Keller. Gleichzeitig sträubte er sich gegen die Wirklichkeit dessen, was er sah. Er kam sich vor wie im Kino. Denn das alles konnte, durfte nicht wahr sein. Er fühlte mit diesen Leuten, so wie man mit den Gequälten, Unterdrückten in einem Film empfindet. Man erträgt die Grausamkeit nur, weil sie nicht wirklich ist, weil man weiß, daß der Film irgendwann zu Ende und danach die Welt wieder in Ordnung sein wird.

Es war wie damals mit Gerhard Wandres. Daß er von einer Sekunde zur anderen für immer im Bleichgraben verschwinden konnte, durfte einfach nicht wahr sein. Es wäre unerträglich gewesen. Zur rechten Zeit hatte ihm der SS-Führer das Gefühl gegeben, daß alles nicht so schlimm war. Daß es sich nicht um ein Unglück handelte, sondern nur um einen Zwischenfall. Niemand war umgekommen. Kein Mensch. Nur ein Jude.

Walter fuhr sich über die Augen. Durch seine Tränen hindurch erkannte er in dem Mann mit der Pfeife den SS-Führer wieder, der ihm damals in seiner Angst beigestanden und ihn aus der Gewissensnot erlöst hatte. Breitbeinig, die Fäuste in die Hüften gestemmt, stand er da und blickte interessiert auf die am Boden Liegenden. Mit der Pfeife zwischen den gebleckten Zähnen sah er aus, als erheitere es ihn in höchstem Maße, wie die Uniformierten mit Sturmriemen unter dem Kinn und Hakenkreuzbinden die halbentkleideten Häftlinge zusammenschlugen.

Einer der Gepeinigten versuchte, sich auf Knien in eine Ecke zu flüchten. Doch da stand schon ein SA-Mann und trat ihn mit aller Kraft ins Gesicht. Walter Jendrichs Kopf dröhnte, als hätte man ihn selbst getreten. Plötzlich wurde er hochgerissen und erkannte über sich Herrn Harprecht, den Direktor, der ihn mit festem Griff am Kragen hielt.

«Was treibst du dich hier herum?» schnauzte er. Und als Walter nicht gleich antwortete: «Ich werde dir helfen, den Unterricht zu schwänzen! Was fällt dir ein, du Lümmel!» Dann gab es zwei Backpfeifen, die Walter hinnahm, ohne sich zu wehren. Im Gegenteil – die Ohrfeigen verschafften ihm so etwas wie Erleichterung. Was dort unten im Keller geschah, dagegen konnte er nichts tun. Doch nun brachten ihn die Schläge des Direktors jenen Menschen ein wenig näher. Und in gleichem Maße, wie er sich den Gequälten verbunden fühlte, hörte er auf, sich zu schämen und schuldig zu fühlen.

Rudolf Harprecht war ein rundlicher Mann in mittleren Jahren, mit wenig Haaren, die er auf dem Hinterkopf gescheitelt trug. Sein bohrender Blick und seine abrupten Bewegungen schienen ihn als einen unbeugsamen Mann auszuweisen, der weiß, was er will. Doch der Eindruck täuschte. Direktor Harprecht, so hieß es, trage sein Parteiabzeichen auf dem Anzug nur deshalb wie einen Schild vor sich her, um sich dahinter zu verstecken. Und um vergessen zu machen, daß er als Zentrumsmann früher einmal gegen Hitler gewesen war. So tuschelte man. Jetzt jedenfalls war er Direktor und wollte es gern bleiben.

In seinem Dienstzimmer setzte sich Harprecht hinter den Schreibtisch. Er zückte den Füllfederhalter und schrieb etwas in sein Notizbuch. Er schrieb ziemlich lange, ohne Walter dabei zu beachten, der ein paar Schritte weit entfernt mitten im Raum stand und die Hände gehorsam auf dem Rücken hielt.

«Du hast wohl Mitleid mit denen, wie?» fragte Harprecht nach einer Weile lauernd, ohne aufzusehen.

«Ich . . . ich wollte», stotterte Walter, « . . . ich wollte bloß einmal sehen, was da unten los ist.»

«Aha. Und was war los? Was hast du gesehen?»

«Da . . . da werden Leute geschlagen und getreten», kam es zerknirscht über Walters Lippen.

Doch da hatte sich der Direktor schon erhoben und kam um den Tisch herum. Er beugte sich hinab und faßte den Jungen an den Schultern. «Wie kannst du so einen Unsinn daherreden? Hör zu. – Wie heißt du eigentlich?»

«Walter Jendrich.»

«Gut. Hör zu, Walter! Du bist doch ein vernünftiger Junge, nicht wahr? Keine Angst, ich tu dir nichts. Ich will dir nur helfen, verstehst du? Ich will dir helfen, die Dinge richtig zu sehen.» Als er Walters mißtrauischen Blick bemerkte, fügte er schnell hinzu: «Ich bestreite gar nicht, daß im Turnhallenkeller nach dem Motto: rauh, aber herzlich, exerziert wird. Aber nicht mit armen, bemitleidenswerten Leuten, wie du vielleicht denkst! Hier mußt du ganz klar erkennen: SA und SS haben ein paar jüdische Tagediebe und Verbrecher gefaßt. Nun bringt man ihnen bei, daß das deutsche Volk sich nicht mehr vor ihnen fürchtet. Die Juden haben jahrhundertelang durch schmutzige Geschäfte, durch Betrug und kaltblütigen Mord unser Volk terrorisiert, haben es ausgesaugt und ausgeplündert. Sie hassen uns wie die Pest. Aus Neid, weil sie nicht so sind wie wir, verstehst du? Weil sie einer minderwertigen Rasse angehören. Und in ihrem Haß werden sie manchmal tollwütig. Vor ein paar Tagen haben sie in Paris einen deutschen Diplomaten ermordet, Ernst vom Rath. Sicher hast du davon gehört. Irgend so ein Judenkerl erschießt einfach einen deutschen Diplomaten. Da muß man doch etwas tun! Sonst schreckt am Ende dieses Gesindel nicht einmal davor zurück, auf den Führer ein Attentat zu verüben. Wir müssen der Vorsehung dankbar sein, daß wir die SS und die SA haben, die den Führer und unser Volk vor diesen Kreaturen schützen. So mußt du die Dinge sehen. Hast du verstanden?»

«Ja», murmelte Walter und nickte gehorsam, obwohl er mit seinen Gedanken ganz woanders war.

«Na siehst du!» Der Direktor schien erleichtert. «Und jetzt mußt du mir eines versprechen: daß du zu niemandem über das, was du gesehen hast, sprichst.» Walter blickte erstaunt auf.

«Na ja» – Harprecht räusperte sich verlegen –, «du siehst mich groß an, ich verstehe das. Sehr gut sogar. Warum nicht reden über etwas, das man selber gesehen hat? Warum wohl, wie? Nun, ich will es dir sagen: Es gibt Böswillige, Meckerer und Miesmacher unter uns, die dem Führer nicht wohlgesonnen sind. Ja, ja, ich weiß, es klingt unglaublich, aber von diesen Dummköpfen und Querulanten laufen immer noch welche rum. Und denen wollen wir doch keine Munition für ihre Heckenschützentätigkeit liefern! Es gibt auch noch sogenannte Sozialisten und Demokraten, die nichts aus der Geschichte gelernt haben. Sie haben früher mit den Juden zusammengearbeitet und würden jetzt im Namen der Menschlichkeit ein Mordsgeschrei erheben, um den Führer und unsere Partei zu verleumden – Adolf Hitler und die NSDAP, die Deutschland wieder frei und stark gemacht haben. Du siehst ein, daß das nicht geschehen darf. Deshalb denk an das gute deutsche Sprichwort: Reden ist Silber, Schweigen ist Gold! Trage dein Herz nie auf der Zunge, sei kein Schwätzer, sondern ein Mann!»

Er richtete sich schnell auf, als er merkte, daß Walter wohl doch nicht alles verstanden hatte. Hastig klopfte er dem Jungen auf die Schulter. «Und jetzt geh in deine Klasse! Ich werde dafür sorgen, daß du für dein Fernbleiben nicht bestraft wirst. Aber denk daran» – er hob den Finger –, «daß du ein Deutscher bist und den Rand zu halten hast, verstanden!»

Der letzte Satz kam in dem barschen Befehlston, der keinen Widerspruch duldet, ja nicht einmal Antwort erwartet. Walter nickte deshalb nur und machte kehrt. Erst als er die Tür hinter sich geschlossen hatte, wagte er wieder tief zu atmen.

Man vergißt schnell, wenn man zehn oder elf Jahre alt ist. Besonders, wenn um einen herum alles drunter und drüber geht. In den letzten beiden Jahren hatte sich viel ereignet. Die Welt hatte ein ganz neues Gesicht bekommen, nicht nur für Walter Jendrich.

Seit einem Jahr war Krieg. Hitlers Armeen hatten in Blitzfeldzügen Polen und Frankreich niedergeworfen, ebenso Dänemark und Norwegen, Holland und Belgien. Ein Großteil Europas war besetzt. England nicht. Und von Osten warf die Sowjetunion einen drohenden Schatten auf das Hitlerreich.

Zwar hatten die deutschen Machthaber einen Nichtangriffspakt mit den Sowjets abgeschlossen, doch man wußte, daß dies lediglich ein diplomatischer Trick gewesen war, um Zeit zu gewinnen. Niemand zweifelte daran, daß Hitler nur eine passende Gelegenheit abwartete, um mit seinem Erzfeind abzurechnen und das Kernland des «Weltbolschewismus» zu vernichten.

Träge und heiß zog der Sommer 1940 ins Land. Die großen Ferien waren ausgefüllt mit sportlichen Wettkämpfen, mit Fahrten und Zeltlagern. Walter war in das Jungvolk eingetreten und trug die Uniform der Hitler-Jugend, die ihm so zuwider gewesen war. Doch das überwand er. Die Jungen in

27

den braunen Hemden waren seine Schulkameraden und Freunde. Von ihnen wollte er sich nicht absondern.

Für Walter Jendrich und seine Altersgenossen gab es in dieser Zeit nur ein Thema: den Krieg. Sie begeisterten sich an den Siegen über Polen und Frankreich, bewunderten die Wehrmachtsformationen und Waffen und kannten bald alle Flugzeugtypen und Schiffseinheiten aus dem Effeff. Sie sammelten Bilder und Dokumente und hatten selbstverständlich nur einen Wunsch: bald als Soldaten mit dabeizusein, um Deutschlands letzte Feinde zu besiegen, als strahlende Helden mit Orden geschmückt in die Heimat zurückzukehren.

Ja, «zackig» wollten sie aussehen, wie man damals sagte. Ungefähr so wie die schneidigen Helden unzähliger Kriegsfilme. Sie träumten davon, genauso «lässig» die Hand an die zerknautschte Fliegermütze zu legen wie sie. «Morjn, meine Herrn! Schwingen wir uns in die Kisten! Ran an die Buletten und den Tommys aus allen Löchern den Laden vollgerotzt, daß sie abschmieren wie die Tontauben!»

Sie gingen oft ins Kino. Aus den Lautsprechern schmetterten Siegesfanfaren, tönte das Engellandlied, während auf der Leinwand die wackeren Landser lachend durch welschen Straßenstaub stampften. Ein kühner U-Bootkommandant feuerte seine Torpedos auf plutokratische Tanker und Frachter ab, ein verwegener Stukaflieger stieß heulend auf die Festungswerke einer vom Weltjudentum verhetzten Soldateska hinab. Vergelten – vernichten – ausradieren: Das waren die Schlagworte des «Völkischen Beobachters», der gesamten deutschen Presse und der Jargon der Filme mit künstlerischer Fassade. Große Schauspieler wie Werner Kraus und Ferdinand Marian wirkten mit.

Einer dieser Filme war Veit Harlans «Jud Süß», ein gehässiges, antijüdisches Machwerk. Er wurde vielleicht nur deshalb ein Erfolg, weil viele Menschen von der pausenlosen Propaganda schon so abgestumpft waren, daß sie alles für bare Münze nahmen, was man ihnen vorsetzte.

«Jud Süß» war nicht jugendfrei. Walter Jendrich sah ihn

trotzdem. Ein Klassenkamerad, Max Rothacker, schmuggelte ihn ins Kino. Das ging, weil Max' Schwester Platzanweiserin war. Man durfte sich nur nicht von einer der Polizeistreifen erwischen lassen, die mit Vorliebe die Sonntagnachmittagsvorstellungen kontrollierten.

Diesmal war alles glattgegangen. Die beiden verließen, stark beeindruckt, die Puli-Lichtspiele und gingen schweigend durch die abendlichen Straßen. Max Rothacker knirschte mit den Zähnen. Wohl vor Zorn über diesen abscheulichen reichen Juden, diesen Teufel in Menschengestalt, der soeben brave deutsche Menschen in Verzweiflung, Not und Tod gestürzt hatte.

«Man muß alle Juden ausrotten», sagte Max Rothacker und ballte die Fäuste. «Sie sind Schufte. Und außerdem hinterlistig und feige.»

«Woher willst du das wissen?» Walter mißfiel diese einseitige Betrachtung. «Was man im Kino sieht, ist im Leben immer ganz anders. Die müssen doch im Film so übertreiben, damit die Leute reingehen.»

Max winkte ab. «Das weiß ich auch. Und es ist nicht nur wegen dem Film. Man kann ja auch lesen, daß die Juden Menschenblut trinken – jawohl, deutsches Menschenblut.»

«So einen Quatsch hab ich noch nie gehört.»

«Lies es doch selber! Es steht in der Zeitung, die im Schaukasten an der Brücke hängt. Sie heißt ‹Das Schwarze Korps›, weil sie ein Blatt der SS ist. Willst du behaupten, daß da auch übertrieben wird?»

«Mir doch egal, ob übertrieben wird. Woher sollen denn die Juden Menschenblut kriegen?»

«Du bist ganz schön bekloppt!» Max spuckte verächtlich aus. «Sie fangen kleine Kinder, die sich verlaufen haben. Das weiß doch jeder. Dann schneiden sie ihnen den Hals ab, und das Blut lassen sie in einen Eimer laufen. Wenn er voll ist, trinken sie ihn aus.»

«Pfui Teufel! Und das schmeckt ihnen?» Walter war sichtlich verwirrt.

«Es kommt nicht auf das Schmecken an», belehrte ihn Max. «Sie wollen die deutsche Rasse kaputtmachen. Deshalb saugen sie ihr Blut aus. Und deshalb haben sie auch den Krieg angefangen, weil sie uns alle vernichten wollen. Aber nun gucken sie blöd aus der Wäsche, weil unsere Wehrmacht siegreich ist. Die in Deutschland haben es mit der Angst gekriegt und sind meistens schon abgehauen – nach England oder nach Amerika.»

Danach schwiegen sie. Man hörte nur ihre genagelten Stiefel auf dem Pflaster.

Plötzlich fiel Walter ein, daß in letzter Zeit tatsächlich in der Stadt von Juden nichts mehr zu hören und zu sehen war. Ob Max vielleicht doch recht hatte und sie alle ausgewandert waren? «Du meinst, es gibt hier keine mehr?» fragte er zweifelnd.

Max Rothacker zuckte mit den Schultern. «Einige werden schon noch hier sein. Aber die laufen wahrscheinlich mit falschen Bärten rum und haben sich verkleidet, damit sie keiner erkennt. Oder sie verkriechen sich wie Ratten und kommen nur nachts aus ihren Löchern. Ich weiß jedenfalls nicht, wo welche sind.»

«Aber ich.» Walter hätte sich im selben Augenblick ohrfeigen können, als er das sagte. Es war ihm einfach so herausgerutscht.

«Du willst hier Juden kennen?» Max lachte. «Gib doch nicht so an! Das kannst du deiner Großmutter erzählen. Ich wette, daß du nicht mal einen weißt.» Walter Jendrich druckste herum. Doch als ihm Max keine Ruhe ließ, gab er schließlich nach. «Ich weiß natürlich nicht, ob sie noch da sind. Und das Geschäft ist sicher auch zu.»

«Ach, du meinst Bensheimer in der Hauptstraße?»

«Nein, ich meine . . .» Noch einmal stockte Walter, ehe er sich einen Ruck gab. «Na, ist ja egal. Ich meine die Frau vom Buchbinder Wandres. Wahrscheinlich kennst du die gar nicht.»

«Was? Das sind Juden? Das hab ich gar nicht gewußt. Das

sind doch die Eltern von Gerhard, der damals ins Wasser gefallen ist, weil er geklaut hat und sie hinter ihm her waren . . .»

«Stimmt überhaupt nicht!» empörte sich Walter. «Gerhard Wandres hat keinem was geklaut!»

«Ah, du bist wohl sein Freund gewesen? Das werd ich mir aber merken, mein lieber Scholli. Daß du dich mit Juden abgibst! Das müßte man eigentlich melden . . .»

«Meld es doch, von mir aus», sagte Walter trotzig.

«Du wirst schon erleben, was ich mache. Und jetzt geh ich zu dem Laden hin und schmeiß die Scheibe ein, damit du's weißt. Dann kannst du mich auch melden. Aber bestraft werde ich bestimmt nicht, wenn ich bei Juden eine Scheibe einwerfe!»

Er sagte es so wild entschlossen, daß Walter ihn am Arm packte. «Mach keinen Unsinn! Laß es lieber! Das gibt doch nur Ärger und bringt nichts!»

Max Rothacker riß sich los und lief davon. Walter konnte ihm kaum folgen. Er hastete quer über die Straße, an den Hauswänden entlang, an den wenigen Passanten vorbei, denen sie begegneten. Es war Abendbrotzeit. In einigen Häusern gingen bereits die Lichter an.

Der jüdische Buchbinderladen lag dunkel hinter den heruntergelassenen Jalousien. Nur ein angrenzendes Fenster war schwach erleuchtet. Das konnte man trotz der zugezogenen Vorhänge erkennen.

Ein unbehagliches Gefühl beschlich Walter Jendrich, als er nach so langer Zeit wieder vor dem Haus stand, um das er seit der Geschichte mit Gerhard immer einen großen Bogen gemacht hatte. Nun sah er, wie Max vor dem Fenster stehenblieb.

«Komm doch weiter!» drängte er. «Es ist sowieso alles zu.»

Max Rothacker, einer der Größten und Stärksten in der Klasse, schob Walter einfach beiseite. Er stellte sich auf die Zehenspitzen und klopfte gegen die Scheibe. Als sich nichts rührte, probierte er es noch einmal. Und diesmal kräftiger.

Da endlich wurde der Vorhang beiseite geschoben. Im Fensterkreuz erschien eine Gestalt und öffnete einen Flügel. Im selben Augenblick verschwand Max hinter der Hausecke.

Walter hätte sich ebenfalls gern dünngemacht. Doch etwas in ihm sträubte sich dagegen, einfach davonzulaufen. Er hatte nur noch eine schwache Erinnerung an Frau Wandres. Einmal war er ihr auf der Straße, ein andermal in ihrem Laden begegnet. Doch er erkannte sie sofort, obwohl sie sehr gealtert war.

Wie unter einem Zwang blickte er in das eingefallene Gesicht mit den glanzlosen Augen, die im Halbdunkel noch lebloser wirkten. Wortlos sah sie auf ihn hinab. Es war jenes Schweigen, bei dem man am liebsten in der Erde versinkt. Ob sie ihn erkannt hatte? Wahrscheinlich nicht. Er spürte, wie sein Herz wild zu schlagen begann und er feuchte Hände bekam.

Nach einer quälenden Ewigkeit machte sie schließlich eine hilflose Handbewegung und wandte sich schweigend ab. Sie schloß das Fenster und zog die Gardinen wieder zu.

«Ist sie weg?» Max Rothacker kam hinter der Ecke hervor und grinste hämisch. «Und du bleibst einfach stehen? Du bist vielleicht ein Dussel!» Als Walter darauf nichts erwiderte, wurde er zornig. «Der besorg ich's jetzt», verkündete er triumphierend und wandte sich dem Fenster zu. Während seine Faust an die Scheibe schlug, schrie er: «He, komm raus und zeig dich! – Altes Judenweib!»

Jetzt war Max Rothacker in Fahrt. Nichts konnte ihn bremsen. Er schob Walter, der ihn an der Jacke zurückreißen wollte, einfach zur Seite. Dann lief er auf die andere Straßenseite und holte aus einem Vorgarten einen faustgroßen Stein.

«Bitte nicht!» sagte Walter und stellte sich unter das Fenster, als wolle er das Haus mit seinem Körper schützen.

Aber da hatte Max Rothacker schon geworfen. Klirrend barst die Scheibe. Danach war es unheimlich still. Nichts rührte sich. Kein Geschimpfe, kein Protest, kein Schreien nach der Polizei, kein Laut.

Doch das nahmen die beiden nicht mehr wahr. Sie rannten, so schnell sie konnten, die Straße hinunter und bogen um die nächste Ecke. In einer Toreinfahrt verschnauften sie kurz.

Walter kam sich wie ein Verbrecher vor. «Das war gemein von dir», keuchte er. «Mit Absicht ein Fenster einschmeißen ist hundsgemein!»

«Hör bloß auf zu unken, du Hampelmann», knurrte Max, der mit seiner Tat auch nicht gerade zufrieden schien. «Das war doch toll! Aber du Memme hast für so was ja keinen Sinn!»

«Wenn man uns nun gesehen hat?»

«Haha, mich hat keiner gesehen. Aber dich! Du bist ja wie der Ochs vor dem Berg nur zwei Schritt von der Alten entfernt gestanden. Ich freß einen Besen, wenn die dich nicht erkannt hat!»

Ein eisiger Schreck durchfuhr Walter. Hatte ihn die Frau erkannt? Zu einem Wildfremden hätte sie bestimmt etwas gesagt. Die Ungewißheit bohrte in ihm wie der Wurm in einem Apfel.

«Nun mach mal nicht in die Hose», sagte Max. «Es wird schon schiefgehen. Wirst sehen. Vor allem müssen wir jetzt verduften, ehe uns jemand über den Weg läuft.»

Sie trennten sich und schlichen, jeder in eine andere Richtung, nach Hause.

Daheim erzählte Walter nichts von dem, was geschehen war. Man würde ihn nicht verstehen. Die Mutter war sicher gegen solche Streiche. Und bei seinem Vater wäre er nur dann mit einem augenzwinkernden Verweis davongekommen, wenn er sich wie Max Rothacker verhalten hätte. Nichts konnte den Steuersekretär Albert Jendrich mehr verdrießen, als wenn sich sein Sohn absonderte und sich weigerte, einen «lustigen» Streich mitzumachen, der auf Kosten eines anderen ging. «Ein richtiger Junge», meinte er, «muß auch mal über die Stränge schlagen. Allerdings – eines darf er nicht», fügte er meist mit einem freudlosen Lächeln hinzu. «Sich erwischen lassen.» Das war sein Standpunkt, von dem er nicht abwich. Wahrscheinlich hatte man ihm den während seiner zwölfjährigen Soldatenzeit beigebracht.

Und noch eine Weisheit pflegte Albert Jendrich zu äußern. Ein Zitat des niederdeutschen Schriftstellers Gorch Fock: «Sei, was du willst, aber was du bist, habe den Mut, ganz zu sein!»

Über diesen Satz hatte Walter oft nachgedacht. Als er ihn begriff, mußte er sich eingestehen, daß er diese Forderung nicht erfüllen konnte. Sie bedeutete, daß man sich jederzeit für das einsetzen mußte, was man als richtig erkannt hatte.

Das war schwierig. Zu schwierig für ihn. Hatte es sich nicht vorhin gezeigt, daß er nicht den Mut hatte, Unrecht zu verhindern? Wäre es nicht anständiger gewesen, sich verprügeln zu lassen, als eine Schweinerei mitzumachen? Er hatte mitgemacht, weil er nicht energisch genug eingeschritten war. Und es war eine Schweinerei, diejenigen zu piesacken, die ohnehin schwach und gedemütigt am Rand der Gesellschaft lebten und sich verstecken mußten.

Die halbe Nacht lag Walter Jendrich wach. Er hörte die regelmäßigen Atemzüge seiner kleinen Schwester, die im selben Zimmer schlief. Die verhärmte Frau am Fenster ging ihm nicht aus dem Sinn. Ihre verschüchterte Haltung, der traurig-bekümmerte Blick, das beredte Schweigen. «Juden sind auch Menschen», sagte die Mutter manchmal, ohne in ihrer Gedankenlosigkeit zu ahnen, was sie mit dieser Feststellung anrichtete. Es lag darin eine so widerwärtige Anmaßung, nicht anders, als wenn einer sagt: Der Jude steht zwar als verabscheuungswürdiges Lebewesen weit unter uns, aber irgendwie ist er auch ein unvermeidbarer Bestandteil der Natur. Wie konnte in einer zivilisierten Welt überhaupt die Frage aufgeworfen werden, ob Juden Menschen seien oder nicht?

Walter Jendrich starrte die dunkle Zimmerdecke an. Durch das halbgeöffnete Fenster drang Musik herein. In einem der Nachbarhäuser spielte jemand auf der Ziehharmonika «Rosamunde» und «Siegreich wollen wir Frankreich schlagen». Es klang falsch.

Es war nicht mehr die Angst, erkannt worden zu sein, die

Walter wachhielt. Er dachte nur an die einsame Frau. Am liebsten wäre er losgegangen, um ihr zu sagen, wie leid ihm alles tat. Die Sache damals mit Gerhard und jetzt die Fensterscheibe. Dann kam ihm auf einmal eine Idee, die ihn froh und mutig machte. Er würde morgen sein Sparschwein schlachten, das fast voll war. Bestimmt reichte der Inhalt, um die zerbrochene Scheibe zu ersetzen. Und dann wollte er der Frau erklären, wie alles gekommen war und daß er es ein zweites Mal nicht dulden würde. Mit diesem Entschluß schlief er schließlich ein.

Es waren elf Mark und neununddreißig Pfennig. Walter hatte sich frühmorgens in den Keller geschlichen, das Porzellanschwein in sein Taschentuch gewickelt und es mit dem stumpfen Ende eines Hammers zerschlagen. Die Scherben hatte er in einen Eimer geworfen. Natürlich würden die Eltern früher oder später dahinterkommen, ihn nach dem Geld fragen. Aber daran wollte er jetzt nicht denken. Früher als gewöhnlich nahm er die Schultasche vom Haken und verließ das Haus.

Er rannte durch die Gasse, als gälte es, einen abfahrenden Zug zu erreichen. Eine unbestimmte Angst, zu spät zu kommen, trieb ihn vorwärts. Atemlos erreichte er die Buchbinderei Wandres.

Obwohl er sich sehr beeilt hatte, kam er zu spät. Er sah es sofort, ohne genau zu wissen, was geschehen war. Mehrere Männer in blauen Kitteln schleppten Möbel und Kisten aus dem Haus und verstauten alles auf einem Lastwagen. Zwei SS-Männer trieben die Arbeiter zur Eile an. «Macht gefälligst 'n bißchen dalli, zack-zack! Wir sollten schon längst unterwegs sein!»

Die Möbelpacker wuchteten schweigend die letzten Stücke auf den Wagen. Sie drückten die Ladeklappe hoch, ehe sie sich in den Laderaum schwangen. Der Motor heulte auf. Einer der SS-Männer sprang auf das Trittbrett und dirigierte den Laster um die Ecke.

Walter sah ihm hilflos nach, bis er verschwunden war. Dann

wandte er sich an den zurückgebliebenen SS-Mann, der etwas in sein Notizbuch geschrieben hatte und sich ebenfalls entfernen wollte. «Entschuldigung, können Sie mir sagen, ob die Familie Wandres weggezogen ist?»

Der Uniformierte sah ihn mißtrauisch an. «Gehörst du vielleicht zu denen? Bist du etwa mit ihnen verwandt?»

Erst als Walter verneinte, wurde er zugänglicher. «Die sind heute morgen alle abtransportiert worden», erklärte er und feixte. «Wahrscheinlich werden sie eine größere Reise machen. Nicht anzunehmen, daß sie noch einmal zurückkommen.»

Walter Jendrich hörte es wie aus weiter Ferne. Etwas in ihm zerbrach bei diesen Worten. So, als hätte der Mann gesagt: Sie sind alle tot und werden irgendwo begraben.

Er ahnte nicht, wie nahe sein Gefühl der Wahrheit gekommen war.

Zweite Frage

Juden und Jugend – die Wörter klingen fast gleich. Und doch – was für ein Unterschied damals. Die einen waren der Abschaum, der ausgetilgt werden mußte. Die anderen spielten die Kings, waren der Stolz der Nation. Die waren fein raus. Sie machten Fahrten, Geländespiele, trieben Sport und bauten Zeltlager auf, wo sie abends um das Feuer herumhockten. Es gab einen richtigen Zusammenhalt, einer war für den anderen da. Natürlich kann man sich heute nicht vorstellen, daß sie im Gleichschritt durch die Straßen marschierten und sangen: «Die Fahne ist mehr als der Tod» oder «Deutschland, Vaterland, wir kommen schon». So was ist doch albern. Und die Propaganda stinkt dabei meilenweit gegen den Wind. Selbst wenn die Jugend, ohne es zu merken, manipuliert wurde. Die Erwachsenen hätten es doch merken müssen.

Ich fragte deshalb meinen Vater.

«Klar», sagte er, «haben es die Erwachsenen gemerkt. Aber sie fanden es ganz in Ordnung, weil sie ja dieselben Lieder sangen. Und weil sie dachten: Wenn die Jungen sich Blasen anmarschieren und sich heiser singen, dann kommen sie wenigstens nicht auf dumme Gedanken. Überhaupt war das so ziemlich die größte Sorge der Nazis, daß jemand auf dumme Gedanken kommen könne. Wer trotzdem anders dachte und es aussprach, wurde verhaftet. Man erfand ein System, mit dem man die Menschen an die Kandare nahm: das Führerprinzip und die verschworene Gemeinschaft. Es begann in der Hitler-Jugend.»

«Und wie funktionierte es?»

«Wie bei einer Herde. Der Leitbulle führt die Masse. Genauso war es bei der HJ. Jeder hatte seinen festen Platz. Die Stellung war nach oben und unten streng abgegrenzt. Man gehorchte nach oben und befahl nach unten. Jeder war bestrebt, noch einen Winkel mehr auf den Arm oder eine dickere Schnur an die Brust zu bekommen. Das machte Eindruck auf die Mädchen und überhaupt. Befördert wurden aber nicht diejenigen, die klüger waren oder besser argumentierten, sondern die Draufgänger und jene, die am lautesten brüllten und kommandierten. Befehl und Gehorsam – darauf beruhte das System. Einer der Kernsätze lautete: Wenn zwei Mann in Uniform auf der Straße gehen, dann ist einer davon der Vorgesetzte. So fühlte sich jeder als Glied einer Kette. Die verschworene Gemeinschaft machte stark. Das mußte sie sein, weil – wie man uns eintrichterte – die Welt voller Feinde war. ‹Du bist nichts, dein Volk ist alles›, lautete ein Kernsatz. Nicht nur in der HJ, sondern auch in der Schule.»

«Von morgens bis abends Volk und Vaterland?»

«Ja. Alles, was man tat, wurde in Beziehung zu Deutschland gesetzt, zur Heimat, zu ihren Helden, Denkern und Dichtern.» Mein Vater holte ein altes Buch aus dem Schrank. «Hier – ein Lesebuch der fünften Volksschulklasse. Womit man uns da fütterte, kannst du schon aus den Überschriften erkennen: Großmutter erzählt aus der Franzosenzeit – Als

Bismarck noch Deichhauptmann war – Heia Safari – Heldentod vor Langemarck – Mein erster Engländer – SA räumt auf – Hitlerjunge Herbert Norkus.»

«Und in die Hitler-Jugend, mußte da eigentlich jeder eintreten?»

«Durch das sogenannte Ermächtigungsgesetz verboten die Nazis nach 1933 alle anderen Parteien. Sämtliche Jugendverbände wurden in die Hitler-Jugend integriert. 1936 wurde sie zur Staatsjugend erklärt und bekam einen Reichsjugendführer. Die Zehn- bis Vierzehnjährigen wurden im ‹Deutschen Jungvolk› und bei den ‹Deutschen Jungmädeln› erfaßt, die Vierzehn- bis Achtzehnjährigen in der Hitler-Jugend und im ‹Bund deutscher Mädel›.»

«Abgesehen von der Propaganda hatte die Sache doch auch ihre guten Seiten, oder?»

«Bei einer Sache sollte man immer fragen: Wem dient sie und wem nützt sie. Die Jugend wurde damals mißbraucht. Die jungen Menschen wurden zu guten Kämpfern für eine schlechte Sache gedrillt und haben das erst durchschaut, als es schon zu spät war.»

«Erzähl doch genau, wie das gewesen ist, in der Schule und in der HJ.»

Und er tat es.

Für Ideale will man kämpfen

Daß beim Ausbruch des Ersten Weltkrieges im Jahre 1914 die Menschen sich gegenseitig um den Hals fielen und hurra schrien, weiß man. Von einmütiger Begeisterung war 1939 nicht die Rede. Zu deutlich für viele war noch die Erinnerung an Leiden, Hunger und Tod. Die Menschen schienen bedrückt und redeten leiser miteinander, so als habe es ihnen die Sprache verschlagen.

Die Jugend reagierte anders. Schon die Sechsjährigen bekamen blanke Augen, wenn von Krieg die Rede war. Für die

Schüler verband sich damit die Vorstellung von schulfrei und Abenteuer. Von einem Leben, in dem man Winnetou und Old Shatterhand sein durfte, ohne belächelt zu werden. Von einem erregenden Wettkampf auf Leben und Tod. Nur – an die Toten dachte keiner. Als Kind weiß man nichts vom Sterben. Der Tod ist etwas, das immer nur die anderen betrifft. Man selber hat damit nichts zu tun.

Der Zweite Weltkrieg kam nicht überraschend. Er hatte sich lange vorher angekündigt. Hitler sprach stets eine eindeutige Sprache. Und im Programm seiner Partei stand unter Punkt eins: «Wir fordern den Zusammenschluß aller Deutschen auf Grund des Selbstbestimmungsrechtes der Völker zu einem Großdeutschland.» Das hieß im Klartext: Wo in Europa Deutsch gesprochen wurde, war deutscher Grund und Boden, der «heim ins Reich» gehörte. Ob Österreich oder das Sudetenland, das Memelland oder Elsaß-Lothringen – Hitlers Zusammenschlußforderungen reichten bis weit in die Ukraine hinein. Das Recht auf diese Gebiete begründete er damit, daß die Deutschen ein Herrenvolk, aber ein Volk ohne Raum seien. Daß beides anfechtbar war, darüber dachten die wenigsten nach. Man hielt sich an Sprüche wie: Der Soldat darf nur so viel wissen, wie zur Ausübung seines Befehls notwendig ist. – Der Vorgesetzte hat immer recht. – Führer befiehl, wir folgen!

Walter Jendrich erinnerte sich noch ganz genau an den 1. September 1939. Der Krieg begann mit dem Überraschungsangriff der deutschen Truppen auf Polen. Es waren Ferien, und sie hörten es im Radio bei Beppo Braun. Hitlers Worte rissen sie von den Stühlen: «. . . Seit fünf Uhr fünfundvierzig wird jetzt zurückgeschossen! Und von jetzt ab wird Bombe mit Bombe vergolten.»

Es ging also los. Walter rannte nach Hause, um die Uniform anzuziehen. Das war das wichtigste. Die Uniform mit dem Fahrtenmesser. Für alle Fälle. Er nahm zwei Treppenstufen auf einmal, stürzte in die Küche. «Hurra!» schrie er außer Atem. «Es ist Krieg!» Er wollte noch einmal hurra brüllen.

Aber bevor er den Mund aufmachte, hatte er schon seine Ohrfeige weg. Es war eine von der kräftigen Sorte.

Seine Mutter schlug ihn nie. Heute tat sie es, ohne zu zögern. Selten hatte Walter sie so erregt gesehen. Es war kein lauter Zornausbruch, sondern mehr eine Art stiller, verbissener Verzweiflung. Ihr Gesicht war bleich, die Augen flackerten. Sie sagte nichts, schlug einfach zu. Noch Jahre später erinnerte sich Walter an ihr Gesicht und an die Ohrfeige.

Militärisch klappte alles wie am Schnürchen. Die Siegesmeldungen überstürzten sich. Daß England und Frankreich dem Reich den Krieg erklärten, nahm man gar nicht recht wahr, weil es im Westen ruhig blieb. Man blickte nach Osten, wo die deutsche Kriegsmaschinerie in knapp drei Wochen Polen überrannte: dieses Land, das im Vertrauen auf die Hilfe der Westmächte gewagt hatte, Hitler die Stirn zu bieten. Jetzt zogen seine Soldaten nach Deutschland – als Gefangene. Niedergeschlagen, in abgerissenen Monturen, schlurften sie dahin. Walter betrachtete sie neugierig. Das also waren die Untermenschen aus dem Osten, die die saubere deutsche Kultur in den Dreck hinabziehen wollten. Das hatten sie nun davon.

Wo deutsche Soldaten auftauchten, grüßte man sie begeistert. Jeder Dorftrottel war ein Held, wenn er nur Uniform trug. Walter hätte alles darum gegeben, ein paar Jahre älter zu sein. Vielleicht dauerte der Krieg so lange, daß er auch noch Soldat werden konnte. Der Gedanke machte ihn froh, innerlich jubelte er:

«Deutschland, Vaterland, wir kommen!»

Die Schüler der oberen Klassen meldeten sich freiwillig zu einem Unteroffizierslehrgang. Nach einer gründlichen Ausbildung bekamen sie vorzeitig die silbernen Tressen.

Freilich gab es Deutsche, die mit Hitler und seinem System nichts zu tun haben wollten. Aber sie konnten sich nicht äußern, weder in der Presse noch im Rundfunk. Schon gar nicht auf öffentlichen Parteiveranstaltungen, weil sie sonst bei Nacht und Nebel «abgeholt» worden wären. Hinter vorgehaltener Hand flüsterte man von einem Arzt, Dr. Wode, der sich abfällig über Hitler geäußert hatte. Eines Tages war er verschwunden. Sie haben ihn nach Dachau gebracht, hieß es. Was das bedeutete, wußte keiner genau. Man munkelte, daß dort politische Verbrecher, aber auch Tagediebe, Meckerer und Miesmacher inhaftiert waren.

Ein anderer Fall war der des Lokomotivheizers Rudnik. Er scheute sich nicht, in der Öffentlichkeit die führenden Nazis als «Verbrecherbande» zu bezeichnen. Als die Gestapo ihn verhaften wollte, kam sie zu spät. Walter Rudnik hatte sich Minuten vorher von der Dachluke in den Hinterhof gestürzt.

Diese Nachrichten kursierten, Zeitungen berichteten nicht darüber. Die meisten hielten sie für Gerüchte und glaubten nicht daran. Das war auch sehr viel bequemer.

Nach außen hin herrschte Ordnung. Man marschierte im Gleichschritt. Disziplin war alles. Maul halten und Hände an die Hosennaht. Ein Volk, ein Reich, ein Führer.

Die Hüter dieser sterilen Ordnung trugen Silbertressen an den Uniformen, um das Volk zu beeindrucken. Recht und Ordnung war die Devise. Aber sie meinten ihr Recht und ihre Ordnung. Und den unbedingten Gehorsam.

Walter Jendrichs Vater konnte nach zwölf Jahren soldatischem Drill kein Bild schief an der Wand hängen sehen. Er beanstandete jegliche Unordnung.

Bei Kriegsausbruch dachte Walter Jendrich nicht anders als die meisten. Er wurde erst hellhörig, als er von der Verhaftung Dr. Wodes hörte. Während einer ausgefallenen Unterrichtsstunde sprach er mit Fräulein Wallner darüber. Er hatte Vertrauen zu ihr, seit sie damals für die Juden Partei ergriffen hatte.

«Ist es wahr», fragte Walter, «daß der Krieg so schrecklich ist, wie manche Erwachsene behaupten?»

Fräulein Wallner sah ihn lange an. Dann nickte sie. «Ein Krieg ist immer schrecklich. Aber manchmal läßt er sich nicht vermeiden. Was würdest du tun, wenn dich die anderen Jungen angriffen?»

«Ich würde mich wehren.»

«Siehst du. Auch unser Volk muß sich wehren, wenn es angegriffen wird. Dieser Krieg ist uns aufgezwungen worden, hat der Führer gesagt. Er hat ihn nicht gewollt. Das Volk weiß das und steht wie ein Mann hinter ihm.»

«Aber nicht alle!» wandte Walter ein.

«So? Wer denn nicht?»

«Solche wie Doktor Wode, den sie eingesperrt haben. Und es gibt noch andere, die den Führer nicht mögen, weil sie früher einer anderen Partei angehörten.»

«Ich sehe, daß du dir deine Fragen überlegt hast», lobte Fräulein Wallner. «Ich will dir gern antworten. Die Parteien der Weimarer Republik, der Zeit vor Adolf Hitlers Machtergreifung, sind aufgelöst. Heute gibt es nur noch eine Partei, die NSDAP. Und diese Partei wird durch den Krieg noch mächtiger. Im Ersten Weltkrieg war es ähnlich. Bei Kriegsausbruch sagte Kaiser Wilhelm: ‹Ich kenne keine Parteien mehr, ich kenne nur noch Deutsche!› Und damit hatte er recht. Selbst seine erbitterten Gegner, die Sozialdemokraten, vergaßen allen Groll und zogen jubelnd hinter den Fahnen des Kaisers ins Feld. Im Krieg, so hieß es, im gemeinsamen Kampf, wird ein Volk zum Volke. Wer also will etwas gegen einen Krieg einwenden, wenn er selbst von Sozialdemokraten als notwendig bezeichnet wird?»

«Aber es kommen Menschen im Krieg um. Ist das notwendig?»

«Ob ein Messer ein nützliches oder schädliches Werkzeug ist, hängt davon ab, wozu es benutzt wird. Wenn unsere Wehrmacht ihre Waffen gebraucht, dann tut sie das zu Recht. Denn unser Vaterland wird ringsum von Feinden bedroht, die uns vernichten, wenn wir uns nicht wehren. Sei unbesorgt, Walter, und hab Vertrauen zu unserem Volk und seinem Führer. Und», setzte sie leise hinzu, «bete zu Gott, daß wir diesen Krieg gewinnen.»

Damit hatte die Lehrerin Walters Bedenken zunächst zerstreut. Er war froh, daß er die Begeisterung seiner Klassenkameraden teilen konnte, ohne Gewissensbisse haben zu müssen.

Die deutschen Armeen siegten in den ersten Kriegsjahren zu Lande, zu Wasser und in der Luft. Nach Polen besetzten sie 1940 Dänemark und Norwegen, fielen unter Verletzung der Neutralität in Holland und Belgien ein und besiegten Frankreich, das sie zu zwei Drittel eroberten. Ein knappes Jahr später wurde auch Jugoslawien niedergeworfen.

Auf den Meeren sorgten vor allem die deutschen U-Boote für Sondermeldungen. Sie versenkten nicht nur Handelsschiffe mit lebenswichtigen Ladungen der Gegner, sondern griffen auch die britische Flotte an. Ein gefeierter Volksheld wurde der Kapitänleutnant Prien. Er drang mit seinem Boot in die scharf abgesicherte Bucht von Scapa Flow vor und versenkte das Schlachtschiff «Royal Oak».

Die Luftwaffe griff London und andere englische Städte an, legte Coventry in Schutt und Asche. Daß sie dabei selbst schwere Verluste erlitt, wurde dem Volk verschwiegen. Statt dessen präsentierte man ihm erfolgreiche Jagdflieger wie Mölders, Galland, Hartmann und Marseille, für die man immer höhere Auszeichnungen finden mußte, um ihre Luftsiege zu honorieren. So das Ritterkreuz mit Eichenlaub, mit Schwertern und schließlich mit Brillanten.

Die Siege ließen die Menschen vergessen, mit welchen Opfern sie erkämpft wurden. Alle glaubten, Hitlers nächster Schlag würde sich gegen die Britische Insel richten. Aber der Diktator tat etwas, das vielen Angst einjagte. Im Sommer 1941 hielt er die Zeit für gekommen, die Sowjetunion anzugreifen. Zwei Jahre zuvor hatte er mit Stalin einen Nichtangriffspakt abgeschlossen. Die deutschen Divisionen stießen überraschend auf breiter Front vor und kämpften sich mit der gewohnten Schnelligkeit bis tief nach Rußland hinein. Die ganze Schlagkraft der Wehrmacht konzentrierte sich auf das Ziel, Rußland bis zum Einbruch des Winters niederzuwerfen.

Es kam anders. Der hartnäckige Widerstand der Roten Armee, die trotz mörderischer Verluste nicht kapitulierte, die

Regenperiode, die alle Nachschubwege in Morast verwandelte, und schließlich der vorzeitig einsetzende Winter stoppten
den Vormarsch vor Moskau und an den anderen Frontab-
schnitten. Bis zum Frühjahr hatten die Russen ihre Fronten
stabilisiert. Die deutschen Angriffe büßten an Stoßkraft ein.
An den großen Panzer- und Materialschlachten zeichnete
sich schon vor Stalingrad die Wende des Krieges ab.
Auch die Bevölkerung spürte, daß die Zeit der großen Siege
vorbei war. Lebensmittel und andere Bedarfsgüter wurden
knapper. Immer mehr Männer wurden eingezogen, um nach
kurzer Ausbildung die wachsenden Verluste der Wehrmacht
an den Fronten auszugleichen. Es ist erwiesen, daß während
des Krieges im Durchschnitt jeden Tag 2500 Deutsche gefallen oder verwundet worden sind. Die Arbeitsplätze wurden
zunehmend mit dienstverpflichteten Frauen und Fremdar-
beitern besetzt. Nachdem auch die USA in den Krieg eingetreten waren und die Alliierten ihrerseits deutsche Städte
bombardierten, verwandelte sich die Siegeszuversicht der
meisten Deutschen in Trotz. Der Propaganda Hitlers gelang
es, die aufkeimenden Zweifel am Regime durch Meldungen
über die «Greueltaten» der Feinde abzulenken, nicht zuletzt
dadurch, daß die «Terrorflieger» nicht nur Rüstungsindu-
strien mit Bomben bewarfen, sondern auch die Wohnviertel
deutscher Städte.
Während sich die totale Niederlage immer deutlicher abzeichnete, begann für Walter Jendrich eine wunderbare Zeit.
Es war die Zeit, in der er Marianne Bork kennenlernte.
Eigentlich kannte er sie schon lange. Sie wohnte ein paar
Straßenzüge weiter. Als Kind war ihm Marianne aufgefallen,
weil sie sich mit ihren abstehenden Zöpfen und der ewigen
Rotznase von ihren adretten Altersgenossinnen recht auffäl-
lig unterschied. Weshalb dann auch immer wieder Eltern ihre
Sprößlinge ermahnten: «Und mit der schmuddligen Marianne gibst du dich nicht ab, sonst setzt es was, verstanden! Bei
der muß man ja Angst haben, daß sie Läuse oder die Krätze
hat.»

Aber solche Erinnerungen hatte Walter längst aus seinem Gedächtnis verbannt. Wenn jetzt einer auf die Idee gekommen wäre, ihn an die schlampige Göre von damals zu erinnern – Walter hätte ihn windelweich geprügelt. Für ihn war Marianne das schönste Mädchen der Welt.

Er hatte sie im Luftschutzbunker entdeckt. Fast jede Nacht war Fliegeralarm. Dann hieß es: Raus aus dem Bett! Mit der Mutter und der kleineren Schwester – der Vater war damals bereits als Soldat in Frankreich – und einem Koffer mit den wichtigsten Habseligkeiten verließ er das Haus. Ganz in der Nähe gab es einen öffentlichen Luftschutzbunker. Es war ein Felsstollen, den eine Brauerei früher als Lager benutzt hatte. Man nannte ihn deshalb nur den Bierkeller. Der in den Berg hineingehauene Stollen galt als absolut bombensicher.

Gleich nach dem ersten Aufheulen der Sirenen eilten die Menschen aus ihren verdunkelten Häusern und bewegten sich schemenhaft wie Gespenster durch die Straßen zum Berg und auf das Felsentor des Bierkellers zu. Geredet wurde wenig. Jeder hatte inzwischen seinen Platz in dem von matten Glühbirnen erleuchteten Stollen.

«Durchgehen! Durchgehen!» befahlen die Luftschutzhelfer am Eingang. Es war immer dasselbe. Ihre Stimmen klangen gleichmütig und monoton. Nur ihre Stahlhelme erinnerten daran, daß hier keine Höhlenbesichtigung stattfand, sondern jeden Augenblick mit einem Bombenangriff gerechnet werden mußte.

Ob nach der Entwarnung sein Haus noch stehen würde, wußte keiner. Bisher waren noch keine Bomben gefallen. Aber man konnte sich vorstellen, wie draußen alles lichterloh brannte und ganze Stadtteile in Schutt und Asche fielen. In Decken eingewickelt hockten die Menschen auf den grobgezimmerten Bänken und blickten starr vor sich hin wie die verängstigten Patienten im Wartezimmer eines Arztes, von dem oft die Entscheidung über Leben oder Tod abhängt. Langsam füllte sich der Raum. Füßescharren, Bänkerücken. Mütter sprachen beruhigend auf quengelnde Kleinkinder ein.

«Bitte durchgehen!» tönte es vom Eingang her. «Und rücken Sie noch etwas zusammen!»

Neben Walter zwängte sich jemand in eine schmale Lücke. Verschlafen hob er den Kopf und war plötzlich hellwach. Er blickte in das Gesicht von Marianne Bork. Im Moment dachte er gar nicht an den Namen, sondern daran, daß er noch nie so nah neben einem Mädchen gesessen hatte. Ihm wurde von innen her heiß. Zugleich spürte er, wie seine Kehle trocken und seine Zunge holzig wurden.

«Uh», machte sie und zog die Schultern hoch, «ist das hier eng. Kannst du noch ein bißchen rutschen?»

Er nickte heftig und rückte noch ein paar Zentimeter weiter. Unbefangen kuschelte sie sich zurecht. «Wir sitzen sonst immer weiter vorn», sagte sie entschuldigend, «aber heute war dort nur noch ein Platz für meine Mutter frei.»

Walter spürte, daß er auch etwas sagen mußte. Sicher wartete sie darauf. Aber sein Gehirn schien vernagelt. Es fiel ihm nichts ein. Aus Zorn darüber hätte er sich am liebsten geohrfeigt.

Glücklicherweise wurde ihre Aufmerksamkeit abgelenkt. Ihnen schräg gegenüber gerieten zwei Männer aneinander. Sie stritten sich um einen Holzverschlag, der an dieser Stelle eine bequeme Sitzecke bildete. «Sie sehen doch», sagte der eine, «daß der Frau schlecht ist! Wie kann man bloß so stur sein!»

«Mir ist auch übel», murrte der andere. «Außerdem ist das mein Platz. Wer zuerst kommt, mahlt zuerst!» Die Frau, um die es ging, saß eingezwängt ein Stück abseits und stöhnte. Sie war noch jung. Man konnte das erkennen, obwohl sie verhärmt und abgemagert aussah.

«Die hat ein schwaches Herz», flüsterte Marianne. «Vor ein paar Tagen hatte sie schon mal einen Anfall.»

«Hilft ihr denn keiner?» hörte Walter sich fragen.

Zwei Rotkreuzschwestern kümmerten sich um die Kranke. «Kommen Sie! Wir haben vorn noch einen besseren Platz.» Willenlos ließ sich die Frau wegführen.

«Du gehst in die Oberschule?» fragte Marianne.

Walter nickte. «Du auch?»

«Nein. Meine Mutter wollte es nicht. Ich mache die Volksschule noch zu Ende. Dann Handelsschule und Büro oder so was. Meine Mutter meint, das wäre nicht so wichtig, weil ich ja doch heirate. Aber ich weiß nicht . . . Ich würde viel lieber als Säuglingsschwester in einer Kinderklinik arbeiten. Heiratest du auch bald?»

Walter schluckte und wunderte sich, daß sie so ungehemmt über alles reden konnte. «Weiß noch nicht», antwortete er. «Zuerst will ich mal Offizier werden.» Drüben setzten die beiden Männer ihren Streit fort. Zeitweilig gerieten sie so heftig aneinander, daß alles ringsum verstummte und man jedes Wort verstehen konnte.

«Flegelei ist heutzutage große Mode», sagte der eine, der sich für die Frau eingesetzt hatte. Er mußte getrunken haben, denn seine Zunge gehorchte ihm nicht ganz. «Aber das ist klar. Mit rücksichtsvollen Menschen kann man die Welt nicht erobern. Das geht nur mit Rabauken!»

«Mann, wissen Sie überhaupt, was Sie reden? Sie sind mir vielleicht ein Ignorant!» Der in der bequemen Ecke zischte gefährlich. «Wenn Sie nicht sofort still sind, werde ich dafür sorgen, daß man Ihnen Respekt beibringt, Sie – Sie . . .» Danach blieb es eine Weile still.

«Offizier», sagte Marianne, und ihre Worte gaben Walter einen Stich ins Herz, «das wäre nichts für mich. Also, wenn ich mal heirate, dann müßte mein Mann schon einen anständigen Beruf haben. Zum Beispiel Frauenarzt oder Filmschauspieler, auch Geiger finde ich ganz toll.»

«Daß ich nicht lache!» ließ sich drüben der beschwipste Mann wieder vernehmen. «Als ob man auf die Dauer mit Gewalt Politik machen kann. Das ist noch niemals gutgegangen. Sperren Sie doch die Ohren auf, dann können Sie's stündlich im Radio hören: Im Osten planmäßige Absetzbewegungen. In Nordafrika hockt Rommel in der Falle. Und in den besetzten Gebieten, in Frankreich und Jugoslawien, in Norwegen, Dänemark, Holland und in Belgien, ja sogar im ehemaligen

47

Polen, das sie jetzt Generalgouvernement nennen, haben wir so viele Freunde gewonnen, daß kein Landser allein auf die Straße gehen kann. Die Partisanen und Widerstandskämpfer lauern überall . . .»

«Heckenschützen sind das und Mordgesindel», empörte sich der andere. «Aber wir werden sie alle ausrotten, mit Stumpf und Stiel! Und solche wie Sie, die kommen auch an die Reihe, das kann ich Ihnen flüstern!»

Einige versuchten beschwichtigend einzugreifen.

«Filmschauspieler», sagte Walter Jendrich, «ja, das ist schon was Besonderes. Da muß man ganz toll begabt sein. Ich – ich könnte das nicht.»

«Das macht doch nichts.» Ihre Worte waren wie ein Streicheln.

Walter fühlte sich von einer sanften Welle getragen. «Paul Hartmann in ‹Pour le mérite›», sprudelte er hervor, «und Otto Gebühr als Alter Fritz, das war phantastisch.»

«Ich mag Wolf Albach-Retty lieber, und Victor de Kowa und Zarah Leander und Marika Rökk. Ja, die Rökk, die ist wirklich süß.»

Er lächelte, weil ihm das Wort «süß» irgendwie komisch vorkam.

«Wenn du lachst, siehst du aus wie Johannes Heesters in ‹Immer nur du›. Hast du schon eine Freundin?»

Walter mußte husten. «Ob ich . . . Du fragst vielleicht Sachen!» Er schielte nach hinten, wo seine Mutter irgendwo zwischen anderen Frauen saß. Er konnte nur ihr turbanartiges Kopftuch erkennen. Was sie wohl sagen würde, wenn sie ihn mit Marianne reden sah? Ob sie schimpfte? Oder ihn auslachte? Er war nicht sicher, was sie tun würde. Aber es war auch unwichtig. Er saß neben einem Mädchen, das überraschend in sein Leben getreten war. Plötzlich war alles anders. Neben Marianne verblaßte, was ihm bisher wichtig erschienen war. Außer ihr gab es nichts von Bedeutung. Er war glücklich, weil er ihre Nähe spürte. Und er war ängstlich, weil er sich wie ein Idiot vorkam, nicht die richtigen Worte fand und ihr nicht zeigen konnte, wie er wirklich war. Ob er schon eine Freundin hatte? Heiliger Strohsack! Sie fragte das so beiläufig, als wolle sie nur wissen, ob er schon mal Rhabarberkuchen gegessen habe.

Ein verwegener Gedanke durchfuhr ihn, verlockend und erschreckend zugleich. Jetzt handeln wie ein Mann und richtig reagieren: Sie einfach in die Arme reißen und sie küssen. So machte man das. Im Kino hatte er es oft genug gesehen. Genauso mußte er handeln. Jetzt! Sofort!

Er spürte, wie seine Knie zitterten. Sein Herz klopfte wie verrückt. Er nahm sich zusammen und drehte den Kopf Marianne zu. Doch sie lächelte ihn so unbefangen an, so weit weg von wild glühender Kinoleidenschaft, daß ihn der Mut verließ.

Hier geht es sowieso nicht, überlegte er und war heilfroh, daß es nicht ging. Es sind zu viele Leute da. Die würden mich ja für verrückt halten. Oder für einen Wüstling. Aber nach der Entwarnung, beim Hinausgehen oder draußen – da muß was passieren! Ihm wurde heiß und kalt. Er merkte nicht, daß die Leute überhaupt keine Notiz von ihm nahmen. Eine wortlose, fast verzweifelte Aufmerksamkeit galt den beiden Männern, die so gefährliche Gespräche führten, wobei zumindest der Angetrunkene dabei war, sich um Kopf und Kragen zu reden. Einer der Luftschutzwarte kam auffallend oft vorbei und spitzte die Ohren.

«Natürlich sind die anderen kein Jota besser», sagte der Mann aufsässig, «die Herren Chamberlain und Daladier und so weiter. In München 1938 haben sie sich so kleinkriegen lassen, daß sie überhaupt nicht mehr da waren. Sie haben unbegreiflicherweise Hitler freie Hand gelassen, hofften nur, daß unsere Geschütze möglichst alle nach Osten losgehen. Sie haben unseren größten Führer aller Zeiten geradezu ermuntert, dort seine Eroberungen zu machen, und ihm mit einem Augenzwinkern deutlich zu verstehen gegeben, daß sie sich dann raushalten würden. Sie sind mitschuldig daran, daß wir Deutschen übergeschnappt sind und meinten, wir könnten die ganze Welt erobern. Können wir aber nicht!»

«Pst! Pst!» mahnte es ringsum.

Ein paar Ängstliche rückten ab.

«Halten Sie den Mund!» rief einer. «Wir wollen hier keine Scherereien haben!»

«Wieso denn Scherereien?» wunderte sich der Mann. «Stimmt es vielleicht nicht, was ich sage? Es ist noch gar nicht lange her, da wollte der Göring Hermann Meier heißen, wenn auch nur ein feindliches Flugzeug die Reichsgrenze überfliegen sollte. Und jetzt? Wie die Motten schwirren sie jede Nacht über uns. Wir hocken im Keller und bibbern. Was soll's? Die werden uns alle in den Sack hauen. Da hilft kein Gefasel vom Endsieg und kein noch so lautes Sieg-Heil-Gebrüll.»

Er hätte sicher in dieser Art noch einiges auf Lager gehabt. Aber als er aufblickte, stand der Luftschutzwart vor ihm. Daneben ein Zivilist mit hochgeschlagenem Mantelkragen, der etwas aus der Tasche zog und vorzeigte – eine Marke oder einen Ausweis. «Machen Sie kein Aufsehen», sagte er, «und kommen Sie mit zum Ausgang!»

Die Menschen in der Nähe blickten betreten zu Boden. Sie wollten mit der ganzen Sache nichts zu tun haben.

«Was wollen Sie von mir?» protestierte der Angetrunkene schwach. «Lassen Sie mich gefälligst in Ruhe, oder ich werde mich bei Ihrer vorgesetzten Dienststelle beschweren!» Er erhob sich, und man konnte sehen, daß er einen ganzen Kopf größer war als der Zivilbeamte. Er wollte sich an den beiden vorbeischieben. Doch da wurde er von seinem Widersacher, mit dem er die ganze Zeit gestritten hatte, zurückgehalten. Ein breiter, untersetzter Typ mit engstehenden Augen. Er machte nicht viele Worte, sondern schlug einfach zu, dem Angetrunkenen ins Gesicht. Der Beamte und der Luftschutzwart griffen sofort ein. Es kam zu einem Handgemenge.

In diesem Augenblick gab es Entwarnung. Das Tor wurde geöffnet, man hörte den langgezogenen Heulton der Sirenen. Wie auf Kommando erhoben sich die Leute von ihren Plätzen, drängten und strebten aus dem stickigen Stollen.

Walter sah, wie die drei Männer den Angetrunkenen festhielten. Er hatte den Kopf gesenkt und ließ sich widerstandslos abführen. In der Menge verlor Walter ihn aus den Augen. Er wollte den Vorgang vergessen und sich auf sein Vorhaben konzentrieren. Doch es gelang ihm nicht.

Man kam nur schubweise voran. Marianne blieb neben ihm. Sie sah blaß und müde aus. Nein, jetzt war nicht der richtige Augenblick für Küsse und so. Und nicht der richtige Ort. Walter war erleichtert, daß es einen Grund gab, der ihn daran hinderte, den stürmischen Draufgänger zu spielen. Eine Rolle, die ihm im Grunde gar nicht lag.

Draußen war es stockdunkel und kalt. Sie verabschiedeten sich rasch und gingen, nachdem sie ihre Mütter ausfindig gemacht hatten, auf getrennten Wegen nach Hause.

Er schlief schlecht in dieser Nacht. Immer wieder mußte er an Marianne denken und daran, wie tölpelhaft er sich benommen hatte. Was sie wohl von ihm dachte? Sicher hielt sie ihn für einen dummen Jungen. Und hatte sie nicht recht? Was konnte er ihr schon bieten? Wer war er denn, daß er es wagte, sich diesem einmaligen Mädchen zu nähern?

Er träumte davon, als hochdekorierter Offizier in die Heimat zurückzukehren. Wie Hajo Schmidt vom Schmidtschen Delikatessengeschäft. Der war im Frühjahr als Leutnant auf Urlaub gekommen, mit dem Eisernen Kreuz erster Klasse, der silbernen Nahkampfspange und dem Deutschen Kreuz in Gold. Das war ein Held. Er hatte x-mal «das Weiße im Auge des Feindes» gesehen, wie er sich ausdrückte, und «die Iwans mit Spaten und Pistole zur Sau gemacht».

Für einen Moment stellte sich Walter das Weiße im Auge des Gegners vor und wie er mit dem Spaten ausholte. Es betrübte ihn, daß der Gedanke ihn gar nicht so recht begeisterte. Immerhin – die Mädchen schien das mächtig zu beeindrukken. Hajo Schmidt hatte Freundinnen, so viele er wollte. Jeden Abend ging er mit einer anderen aus. Seine Auszeichnungen schienen sie anzuziehen wie die Blüten die Bienen. Oder waren es die köstlichen Seltenheiten aus dem väterlichen Geschäft, die Hajo gelegentlich aus der Jackentasche hervorzauberte? Köstlichkeiten, die viele nur noch vom Hörensagen kannten: Kaviar, duftende Salami, Schweizer Käse oder Heringe in Gelee, Feigen und echte Vorkriegsschokolade. Wer weiß? Kannte sich einer aus mit den Mädchen!

Schätze dieser Art besaß Walter nicht. Im Geist ging er seine Besitztümer durch, mit denen sich vielleicht Eindruck schinden ließe. Aber da war nicht viel: einige Zigarettenalben mit eingeklebten Bildern, die er gesammelt hatte. «Die deutsche Wehrmacht», «Aus Wald und Flur» und «Raubstaat England» hießen sie. Oder einen seiner Karl-May-Bände. Dann gehörte ihm noch ein echter Sowjetstern, ein französisches Vierkantbajonett und eine Gipsbüste von Friedrich dem Großen. Aber das war nicht das Richtige. Mädchen, so glaubte er zu wissen, hatten ganz andere Wünsche. Schließlich kam ihm der rettende Einfall: Blumen – ja, das war es. Darüber freute sich jede Frau. Auch das wußte er aus dem Kino. Warum? Keine Ahnung. Es war eben so.

Die Auswahl an Blumen war nicht eben groß. Das sah er sofort, als er sich am Morgen vor dem Unterricht in der Gärtnerei umsah. Von seinem Taschengeld kaufte er ein Primeltöpfchen. Ein bißchen komisch war es, damit durch die Straßen zu gehen. Er versteckte es unter seiner Jacke, als er durch die dunkle Toreinfahrt des Hauses schlich, in dem Marianne wohnte. Vorsichtig stieg er die knarrende Treppe hinauf. Vor der verglasten Eingangstür mit dem blanken Messingschild, in das der Name L. Bork schwarz eingraviert war, blieb er stehen. Ohne zu verschnaufen setzte er den Blumentopf auf der Fußmatte ab, drehte sich um und polterte die Treppe hinunter, als seien sämtliche Hunde des Stadtviertels hinter ihm her.

Erst als er etwa hundert Meter weit weg war, blieb er stehen, um Atem zu schöpfen. Er wandte sich noch ein paarmal um, ehe er weiterging. Und dann schrie er: «Juhu!», weil die Welt so schön zu sein schien. Selbst die Schule wurde an diesem Tag zu einem reinen Vergnügen.

Er hätte gern Mariannes Gesicht gesehen, als sie das Blumen-stöckchen entdeckte. Aber er begegnete dem Mädchen an diesem Tag nicht. Auch nicht am nächsten und übernächsten, obgleich er des öfteren wie zufällig an ihrem Haus vorbei-schlenderte. Wenn er abends zu Bett ging, wünschte er sich sehnlichst Fliegeralarm. Noch nie zuvor war er so versessen auf den nächtlichen Gang zum Luftschutzkeller gewesen. Nicht einmal vor einer drohenden Mathematikarbeit am nächsten Tag, die dann ausfiel, weil sie nach Alarm erst zwei Stunden später zur Schule mußten. Diesmal heulte die Sirene lange nach Mitternacht. Walter fuhr erschreckt aus dem Schlaf. Der auf- und abschwellende Alarmton zerrte an den Nerven, schien diesmal besonders laut und eindringlich zu warnen. Ohne das Licht anzuknipsen, schlüpfte er in die bereitgelegten Kleider. Nebenan hörte er die Mutter beruhi-gend auf die kleine Schwester einreden.

«Beeil dich, Walter!» rief sie dann ängstlich. «Sie sind schon ganz nah!»

Wenig später hasteten sie durch die herbstlich-kalte Nacht dem Bierkeller zu. Irgendwo aus ferner Höhe war das mono-tone Geräusch von Flugzeugmotoren zu hören. Es schien über ihnen zu stehen und trieb die Menschen schneller als sonst voran.

Walter dachte an Marianne. Hoffentlich konnte er wieder neben ihr sitzen.

Das Gebrumm verstärkte sich.

«Die greifen unsere Stadt an», heulte seine Schwester.

«Unsinn, warum sollten sie denn?» sagte die Mutter beruhi-gend. «Hast du die Tasche mit den Papieren, Walter?»

«Jaja!»

Bisher war die kleine Stadt von Bombenangriffen verschont geblieben. Es gab hier weder militärische Objekte noch nen-nenswerte Industrieanlagen. Immer waren die Flugzeuge über sie hinweggezogen, ins Reichsinnere, größeren und wichtigeren Städten zu. Weshalb sollte es diesmal anders sein?

Der Himmel war bedeckt. Hin und wieder konnte man zwischen den Wolken einen Stern blinken sehen. Kein Scheinwerfer tastete sich in den Himmel, im ganzen Umkreis gab es keine Flak, die einen Angriff hätte abwehren oder auch herausfordern können. Der Flugzeuglärm war jetzt direkt über ihnen.

Sie hatten kaum den Stolleneingang passiert, da schwoll das Motorengeräusch über ihnen so an, daß man sein eigenes Wort nicht verstand.

«Tür zu!» schrie jemand.

Hinter ihnen drängten noch einige Leute. Krachend fiel das Eisentor zu, die Riegel knarrten. Zugleich setzte ein Rumoren ein, das sich wie dumpfer Paukenwirbel anhörte. Der Boden unter den Füßen erzitterte, die Bänke knarrten und wakkelten, Koffer und Gepäck fielen um, einige Glühbirnen verlöschten. Ängstliches Stimmengewirr erfüllte den Keller.

«Das gilt uns!»

«Mein Gott, was soll nun werden?»

«Bitte Ruhe bewahren! Keine Panik! Der Keller ist sicher! Der hält was aus!»

Walter suchte Marianne und konnte sie nirgends entdecken. «Ich bin gleich wieder da!» sagte er. Ohne die Antwort seiner Mutter abzuwarten, zwängte er sich durch die vielen Menschen den Gang entlang bis tief in den halbdunklen Stollen hinein.

Suchend blickte er nach allen Seiten und schaute in jeden Winkel. Schließlich mußte er sich eingestehen, daß es sinnlos war, weiterzusuchen. Marianne war nicht hier. Auch ihre Mutter hatte er nirgends entdeckt. Eine bedrückende Ahnung stieg in ihm auf.

Draußen war es anscheinend ruhig geworden. Walter erreichte die Eisentür. Am liebsten wäre er hinausgestürmt. Aber dazu hätte er den Riegel aufschieben müssen. Außerdem stand da ein Luftschutzwart, der ihn bestimmt daran gehindert hätte.

Es schien eine Ewigkeit zu dauern, ehe die Entwarnung kam. Als erster stürmte Walter hinaus, ohne auf Mutter und Schwester zu warten. Und als einer der ersten war er an der brennenden, trümmerübersäten Häuserzeile, die vor kurzem noch eine Straße mit ehrwürdigen, festgefügten Fronten gewesen war. Feuerwehr sperrte die Gefahrenzone ab. Aber das war völlig unnötig. Die unerträgliche Hitze hielt die Neugierigen und Ängstlichen ohnehin ab.

Stumm vor Schreck starrte Walter in die prasselnden Flammen. Hinter den geborstenen Fassaden stieg Qualm auf und vernebelte den Himmel. Hundert Lokomotiven, auf engstem Raum konzentriert, hätten nicht mehr Rauch entwickeln können.

Jemand sagte: «Alles kam auf einmal runter.»

«Luftminen», erklärte ein anderer. «Das waren Luftminen, nur Luftminen. Ich kenne mich da aus.»

«Da ist nichts mehr zu machen. Keiner ist da lebend herausgekommen. Entsetzlich so was.»

«Ja», bestätigte der zweite, der sich tatsächlich auszukennen schien, «und so sinnlos, weil alles nur Zufall war.»

«Zufall?»

«Klar. Oder denken Sie vielleicht, die hatten die Absicht, unser Kaff anzugreifen? Das Ganze war ein Notabwurf von ein paar Flugzeugen, zwei vielleicht oder drei.»

«Nur zwei oder drei?»

«Bestimmt nicht mehr. Sie kamen wahrscheinlich durch einen Gegenangriff unserer Jäger vom Kurs ab. Oder ihre Maschinen waren defekt. Und da haben sie noch schnell auf den Knopf gedrückt, um ihre Bomben loszuwerden.»

Die Feuerwehr beschränkte sich darauf, die angrenzenden Häuser, so gut es ging, vor dem Übergreifen der Flammen zu schützen. Es war, als ob man einen Kohlenmeiler mit Spritzpistolen angehen wollte.

Walter sah es und konnte es nicht begreifen. Undenkbar, daß es in dieser Feuerhölle vor kurzem noch eine Treppe gegeben hatte, die er hinauflief, um vor einer Glastür mit einem Messingschild einen Blumenstock abzusetzen. Oder war das schon lange her? Jahre?

Von dieser Treppe, von dieser Tür war nichts mehr da. Und die Menschen? Marianne, ihre Mutter?

Einige der Bewohner hatten sich noch rechtzeitig in Sicherheit bringen können. Sie standen verstreut zwischen den vielen fremden Menschen, ließen Trostworte über sich ergehen, ohne sie aufzunehmen; sie waren wie versteinert. Ihre Wohnungen, ihre Möbel, alles, was sie besaßen, versank vor ihren Augen in den Flammen.

Mechanisch ging Walter Jendrich von Gruppe zu Gruppe. Er tat es aus der anerzogenen Gewohnheit, eine Sache zu Ende zu führen. Und nicht, weil er etwa die Hoffnung gehabt hätte, doch ein vertrautes Gesicht unter den Überlebenden zu entdecken. Eine unbarmherzige Gewißheit sagte ihm, daß er Marianne Bork nie mehr wiedersehen würde.

Ein Mann blickte ihn an und legte ihm die Hand auf die Schulter. «Das ist der Krieg», sagte er leise.

Da schüttelte es Walter, und Tränen liefen ihm über die Wangen.

Nach diesem Bombenangriff erhielt das Städtchen zwei Batterien leichter Flakartillerie, die auf den Anhöhen ringsum Stellung bezogen. Ein neuer Angriff blieb aus. Ungeachtet dessen erreichte der Haß der Stadtbewohner auf die «Terrorflieger» in dieser Zeit seinen Höhepunkt. Nicht zuletzt sorgte die Propaganda dafür, daß der Volkszorn wuchs. Immer wieder kam es zu Übergriffen auf alliierte Flieger, die sich mit Fallschirmen aus ihren berstenden Maschinen retten wollten. Und man hörte niemals, daß die Anstifter solcher «Vergeltungsaktionen» zur Rechenschaft gezogen wurden.

Nach der Kapitulation der 6. Armee in Stalingrad am 2. Februar 1943 – von den 220000 Soldaten überlebten 91000, die in Gefangenschaft gerieten – war durch Reichspropagandaminister Goebbels der «totale Krieg» verkündet worden. Und das hieß, daß es im «Schicksalskampf des deutschen

Volkes» kein Pardon mehr für Feinde gab. Bis der Endsieg errungen war. Schon zu Friedenszeiten hatte die Partei den Menschen eingetrichtert: «Das Leben ist Kampf. Und wer nicht kämpfen will in dieser Welt des ewigen Ringens, verdient das Leben nicht.» Nun verlangte die Führung nicht nur den Kampf, den Einsatz und das Opfer jedes einzelnen, sondern auch bedingungslosen Glauben an den Sieg und unversöhnlichen Haß gegen alle Feinde des Volkes. Hitlers Reden wurden immer hysterischer. Mit wütenden Worten zerhackte er förmlich seine Gegner: «. . . wir werr-den ih-re Stä-dte aus-rra-die-rren!» Und das Volk schrie: «Sieg Heil!» und glaubte. Eine Nation marschierte im Gleichschritt der größten Niederlage seiner Geschichte entgegen.

Auch Walter Jendrich konnte sich dieser Propaganda nicht entziehen. Er wollte es auch gar nicht. Die Parolen der Vergeltung und des Hasses fanden bei ihm ein offenes Ohr, seit Marianne tot war. Er hatte sich damals zu Hause eingeschlossen, als die Leichenreste der Hausbewohner, darunter Marianne und ihre Mutter, auf dem Friedhof beigesetzt wurden. Die halbe Stadt war gekommen, um der Trauerfeier beizuwohnen. An der Spitze des Trauerzuges schritten die Parteifunktionäre. Auch Walter hätte als Hitlerjunge antreten müssen, zusammen mit seiner Schar. Doch er fand den Gedanken unerträglich, den Platz an Mariannes Grab mit anderen zu teilen. Er ging später allein auf den Friedhof, um Abschied zu nehmen. Nach der Beisetzung. Lautlos sprach er mit Marianne. Seine Augen waren feucht. Er ballte die Faust und sagte: «In den Staub mit allen Feinden Brandenburgs!» Der Satz war ihm eingefallen, weil sie gerade im Deutschunterricht Kleists «Prinz Friedrich von Homburg» lasen. Walter fand, daß er paßte, und sprach ihn mehrmals vor sich hin. Er würde es diesen heimtückischen Luftgangstern heimzahlen! Das war er Marianne schuldig.

An einem Sonntagmorgen mußte Walters Schar hinter der Kirche vor dem «Heim» antreten. Es ging hinaus zum Waldsportplatz, um für die «Siegernadel» beim bevorstehenden Sportwettkampf zu trainieren: 100-Meter-Lauf, Weitsprung und Keulenweitwurf.

Walter marschierte gerne durch die Straßen. Der Gleichschritt und die Tuchfühlung mit den anderen – man war nicht mehr allein, fühlte sich geborgen und inmitten der Freunde, der sportlichen Gemeinschaft. Vor ihnen flatterte die rotweiß-rote Hitlerjugendfahne mit dem schwarzen Hakenkreuz in der Mitte. Aber es war nicht diese Fahne, sie hätte ebenso rot sein können oder schwarz. Es war das Gefühl der Zusammengehörigkeit.

Neben dem rechten Flügelmann marschierte Max Rothacker, der Scharführer. Er reckte die linke Schulter vor, damit jeder das Zeichen seiner Würde, die grüne Fangschnur, sehen konnte. Und dann kommandierte er abgehackt: «Ein Lied!»

Sie sangen, daß alle Fensterscheiben klirrten. Es war ihr Lied, das alles einschloß, was sie bewegte. Früher waren die Leute auf der Straße stehengeblieben, um die Fahne zu grüßen. Doch nun, nach über vier Jahren Krieg, drehte sich kaum einer um. Die Jungen nahmen es nicht wahr. Sie marschierten und sangen, weil sie nichts Besseres wußten, um auszudrücken, was sie empfanden. Sie sangen:

«Es klappert der Huf am Stege.
Wir ziehn mit dem Fähnlein ins Feld.
Blut'ger Kampf allerwege,
dazu sind auch wir bestellt.
Wir reiten und reiten und singen,
im Herzen die bitterste Not.
Die Sehnsucht, sie will uns bezwingen,
doch wir reiten die Sehnsucht tot!»

Immer, wenn sie an die Stelle kamen, wo es hieß: «Herr, laß uns stark sein im Streite, dann sei unser Leben vollbracht!» wurde ihnen ganz mulmig, und manch einer kam sich vor wie Jung-Siegfried, der aufbrach, um den gefährlichen Drachen zu töten. Stark und unverwundbar sein, das wünschten sie sich. Weil sie alle in dem Alter waren, in dem man noch nicht ganz stark und noch verwundbar ist.

Walter mochte ein derbes, ehrliches Landsknechtlied lieber als die braunen Blut- und Bodengesänge von Heinrich Annacker und Will Vesper.

Mit einigem Unbehagen erinnerte er sich an einen Aufsatz, den sie unlängst erst über die Verse von Dietrich Eckart schreiben mußten. Die fragliche Stelle lautete:

> «Läutet Sturm, daß die Erde sich bäumt
> unter dem Donner der rettenden Rache!
> Wehe dem Volk, das heute noch träumt!
> Deutschland, erwache!»

Fräulein Wallner betonte, daß sie dieses Thema nicht ausgesucht habe, sondern daß es im Lehrplan vorgeschrieben war. Aber sicher, so meinte sie, sei die Ausarbeitung nicht allzu schwer. Man brauche dabei nur – und hier kam sie auf eines ihrer Lieblingsthemen – an das Kolonialzeitalter zu denken. Walter und die meisten in der Klasse verstanden, worauf sie hinauswollte, und schrieben ganz in diesem Sinn. Sie ließen die rettende Rache beiseite und konzentrierten sich mehr auf das träumende Volk. Auf die Deutschen, die geschlafen hatten, als die Welt verteilt wurde und die anderen Mächte ihre Kolonien erwarben. Damit konnte man bei Fräulein Wallner Eindruck machen. Nicht aber auf die Art, wie es Max Rothacker versuchte. Seinen Aufsatz fand die Lehrerin so schlecht, daß sie ihn als abschreckendes Beispiel der Klasse vorlas. Was Max Rothacker geschrieben hatte, klang ungefähr so:

«Als der Krieg 1918 zu Ende war, träumte das Volk stumpfsinnig vor sich hin. Deshalb konnten Novemberverbrecher und Erfüllungspolitiker Unordnung und Demokratie über das Vaterland bringen. Das Volk merkte gar nicht, wie schlecht es ihm ging. Wehe dir – da nahte schon die rettende Rache und riß es aus seinem Schlummer. Es war der Führer selbst, der Deutschland aufweckte und wieder auf Vordermann brachte. Bald gab es keine schmuddeligen Kommunisten mehr, mit schiefgetretenen Absätzen, mit langen Koteletten und einem Glimmstengel im Bolschewikenmaul. Die hat man ihnen schnell aus der Fresse gehauen. Es herrschte wieder Disziplin. Überall wurden Autobahnen gebaut, daß jeder Arbeit hatte. Und die Frauen putzten und flickten, daß alles nur so glänzte, und die alten Menschen bekamen vom Winterhilfswerk eine warme Suppe. Keiner brauchte mehr zu hungern oder zu frieren. Das Volk hörte endlich auf zu träumen und marschierte im Gleichschritt. Der Tag der Rache hatte uns alle frei gemacht. Das danken wir dem Führer.»

Empört malte Fräulein Wallner eine große Fünf unter den Aufsatz und schrieb mit roter Tinte auf einer halben Seite die Begründung: «Dir fehlt der sittliche Ernst. So kann man das nicht betrachten! Ein Volk läßt sich nicht ausrichten wie eine Kompanie Soldaten. Die fleißigsten Kirchgänger sind nicht unbedingt die besten Christen, und wer am lautesten: ‹Heil Hitler!› schreit, muß damit noch lange nicht ein treuer Anhänger des Führers und ein guter Deutscher sein.»

Diese Beurteilung zeigte Max seinem Vater, der als Ortsgruppenleiter ein wichtiger Parteibonze war. «Die mach ich fertig!» brüllte Ernst Rothacker, und sein rotes, von Schmissen zerhacktes Gesicht wurde noch röter. «Was erlaubt sich diese Frau! Das ist ein Angriff auf die Partei. Die soll mich kennenlernen!» Noch am selben Tag sprach der Ortsgruppenleiter beim Direktor der Schule vor. Was er mit Franz Harprecht hinter verschlossenen Türen verhandelte, erfuhr niemand. Daß die Lehrerin einen Verweis bekam, war unwahrscheinlich. Jeder kannte sie als eine «aufrechte Deutsche», und über den Führer ließ sie auch nichts kommen. Sie gehörte zu den zahlreichen Konservativen, die zwar mit den Übergriffen der Partei nicht einverstanden waren, sie aber hinnahmen. Gegen Hitlers ordnungspolitische Vorstellungen und seinen Kampf gegen antideutsche Kräfte hatte sie im Grunde nichts einzuwenden.

Max Rothacker behielt seine Fünf. Dafür wurde er wenig

später in der Hitler-Jugend zum Scharführer ernannt. Ob das als Trostpflaster für den schlechtbenoteten Aufsatz zu werten war, wie manche hinter vorgehaltener Hand behaupteten, ließ sich natürlich nicht feststellen.

Die Angehörigen der Schar zwei in der Gefolgschaft 28 waren jedenfalls mit ihrem Scharführer zufrieden. Der sportliche, gutaussehende Max Rothacker machte keine üble Figur, wenn er vor der Front stand und kommandierte: «Stillgestanden! Ha, das hört sich ja an, als ob eine Kuh aufs Trommelfell scheißt! Rührt euch! – Schar zwo, stillgestanden! Rührt euch!» Er kontrollierte am rechten Flügel die Reihen. «Brust raus! Bauch rein! Mensch, Braun, nimm deine Quadratlatschen zurück, sonst spring ich dir auf die Hühneraugen! Ruhe im Glied!» Er stapfte nach vorn und knallte die Hacken zusammen. «Augen geradeaus! Was gibt's da zu grinsen, Jendrich? Vortreten! Also, was ist los? Leg die Hände an, wenn ich mit dir rede! Siehst du den Telegrafenmast da drüben? Wie? Ich versteh immer nur Bahnhof! Na also. Bist du noch nicht dort?! Hinlegen – aufstehen! Hinlegen – auf! Kehrt – marschmarsch! Hinlegen – auf! Hinlegen – robben! Auf dem Koppelschloß kehrt! Auf – marschmarsch! Hinlegen! Ich zieh dich durch die Landschaft, bis dir das Wasser im Arsch kocht!» Ja, der Max Rothacker war schon ein toller Hecht. Er würde eines Tages mühelos in die Fußstapfen seines Vaters treten. Was ein Häkchen werden will, krümmt sich beizeiten, hieß es damals.

An diesem Sonntag rückten sie nicht geschlossen zum Rückmarsch vom Waldsportplatz ab. Max Rothacker ließ wegtreten, weil es schon kurz vor zwölf war und es für viele einen ziemlichen Umweg bedeutet hätte, wenn sie noch einmal bis zur Innenstadt marschiert wären. Pünktlich zum Mittagessen nach Hause zu kommen, das war ein ungeschriebenes Gesetz, an dem auch in der Hitler-Jugend niemand rüttelte.

Walter Jendrich und Beppo Braun kürzten ab und gingen nebeneinander auf einem Schneisenweg. Sie unterhielten sich über den bevorstehenden Wettkampf.

«Ich komme einfach nicht über 4,50 beim Weitsprung», sagte Beppo seufzend und zuckte resignierend die Schultern.

«Dafür bist du im Hochsprung ganz passabel.» Walter versuchte ihn zu trösten.

«Wenn ich diesmal die Siegernadel wieder nicht schaffe, kann ich einpacken.»

«Du spinnst ja.»

Beppo Braun kickte wütend ein Stück Holz zur Seite. «Du hast gut reden. Bei dir klappt alles. Aber ich muß zittern, daß ich die 180 Punkte zusammenbekomme. Sonst machen die mich nie zum Kameradschaftsführer. Dann steh ich da wie Karl Napp. Ohne Nadel und ohne die Affenschaukel kann man sich bei den Mädchen ja nicht mehr sehen lassen!»

«Du, guck mal, das ist doch kein Deutscher», sagte Walter und deutete mit ausgestrecktem Finger in den blauen Himmel. Dort oben, in ziemlicher Höhe, zog ein silberglänzendes Flugzeug seine Bahn. Man konnte kaum das Brummen der Motoren hören.

Jetzt sah es auch Beppo Braun. «Mensch, wenn das nicht . . . Zweimotorige, abgerundete Tragflächen . . . Jede Wette, daß ist 'ne Bristol-Belnheim.»

«Glaub ich nicht», widersprach Walter und kniff fachmännisch die Augen zusammen. «Sieht mir mehr nach 'ner Wellington aus.»

«Ich seh das Pfauenauge, blau-rot!» rief Beppo.

«Klarer Fall, das ist ein Engländer. Und die lassen den seelenruhig Aufklärung fliegen. Schläft denn hier alles?»

Aber da ballerte es schon los. Die leichten Flakgeschütze eröffneten das Feuer. Ganz in der Nähe.

Die beiden gingen hinter einer dicken Buche in Deckung. Das trockene Knallen der Abschüsse ließ sie jedesmal zusammenzucken. Das Flugzeug hielt ruhig seinen Kurs – einer breiten Wolkendecke zu, die bis zum Horizont reichte. Gleich würde es verschwinden. Dann konnte ihm die Flak nichts mehr anhaben.

Vom gegenüberliegenden Waldstück aus feuerte eine Vierling

aus allen Rohren. Walter mußte unwillkürlich an die Besatzung der kleinen Maschine denken. Für die Männer dort oben mußte jetzt die Hölle los sein. Schutzlos flogen sie durch einen Hagel von Geschossen und konnten nichts tun, als hoffen und beten, die nächsten fünf Minuten heil zu überstehen.

Sie überstanden sie nicht.

«Mensch, schau!» schrie Beppo. «Der raucht!»

In der Tat. Das Flugzeug zog einen dünnen Rauchfaden hinter sich her.

«Sie haben ihn erwischt!» bestätigte Walter atemlos. «Den linken Motor haben sie getroffen!»

Sie sprangen hinter dem Baum hervor und hielten die Hände über die Augen, um besser sehen zu können. Die Maschine verlor sichtlich an Höhe. Herausströmender Qualm hüllte bereits den Motor ein. Der Pilot schien den Versuch zu machen, das Flugzeug abzufangen, das sich plötzlich aufbäumte, in eine steile Kurve einschwenkte und dann pfeilgerade auf die beiden Jungen zu fiel. Die Flak hatte das Feuer eingestellt. Man hörte den intakten Motor tuckern. Dann stotterte er – schwieg.

Hinter der Maschine, die nach einer weiteren Schleife über die linke Tragfläche abschmierte, sah man wie weiße Wölkchen zwei Fallschirme abwärts schweben. «Wenn die noch ein bißchen rantreiben, kommen sie auf dem Lerchenfeld runter», überlegte Walter.

«Dann nichts wie los!»

Sie liefen auf den gegenüberliegenden Wald zu.

Hinter den Wipfeln wuchs eine Rauchsäule empor und verdichtete sich zu einer schmutzigen Wolke.

Die Jungen stolperten durch eine niedere Tannenschonung und ein Wegstück durch quatschenden Sumpf. Dann keuchten sie eine steile Böschung zur Straße hinauf und sahen rechter Hand Stetten liegen, den dörflichen Vorort mit etwa 1200 Einwohnern. Sie hörten Hundegebell und bemerkten kurz danach mehrere Männer, die querfeldein über die Rübenäcker hasteten. Dorthin, wo keine fünfhundert Meter von

Walter und Beppo entfernt einer der Fallschirme niederging, sich im Wind noch einmal in seiner ganzen Fülle aufbauschte und dann zusammenfiel. Vom zweiten Schirm war nichts zu sehen.

«Den nehmen wir gefangen!» rief Beppo Braun lachend und stürmte weiter. «Vielleicht können wir von ihm was erben. Die sollen ganz prima Sachen bei sich haben: Kaugummi, Schokolade, Käse mit Speck, Kaffee, und alles in Dosen. Kratz schon mal dein Englisch zusammen. Hoffentlich sind die Stettener nicht vor uns da!»

«Und wenn er bewaffnet ist? Die haben immer 'ne Pistole bei sich.»

«Machen wir schon. Was heißt eigentlich, er soll die Waffe niederlegen?»

«Niederlegen?» Walter grübelte. «Im Zweifelsfall geht alles mit ‹to put›, das heißt setzen, stellen, legen. Put down the arms! Das haut hin.»

Aber sie brauchten ihre Englischbrocken nicht. Als sie noch etwa hundert Meter von dem Mann in der Fliegerkombination entfernt waren, der mitten im Feld stand und sich von den Fallschirmgurten befreite, hatten die Männer aus dem Dorf ihn erreicht. Man hörte wütendes Hundegekläff und erregte Stimmen. Walter fand es eigenartig, daß die acht oder neun Männer Knüppel und Stangen trugen. Einer, der einen Schäferhund an der Leine führte, hatte eine schwere Hacke mit.

Drohend standen die Dörfler um den Engländer herum, als Walter und Beppo keuchend anlangten. Sie wurden von der Pistole des Fliegers in Schach gehalten. Er schwenkte sie von einem zum anderen. Man konnte ihm ansehen, daß er aus Angst zu allem fähig war. Der eingezogene Kopf, die flakkernden Augen im bleichen Gesicht, das schweißnasse Haar, das ihm auf der Stirn klebte, die weit von sich gestreckte Waffe, hinter der er sich förmlich verschanzte – das alles ergab das Bild eines in die Enge Getriebenen.

Die Männer aus dem Dort waren erregt und wütend. Obgleich in der Überzahl, schienen sie machtlos.

«Schmeiß das Ding weg, du Gangster!» brüllte einer. Auch die anderen machten sich mit Kraftausdrücken Luft.

«Du Schweinehund, dich kriegen wir schon!»

«Der hat doch die Hosen voll. Der schießt nie im Leben!»

«Terrorflieger! Arschloch!»

«Los, Leute, alle zusammen! Hauen wir dem Kerl den Schädel ein!»

«Laß doch den Hund los, Emil! Und wenn er dann abdrückt, gnade ihm Gott!»

Der Mann mit der Hacke zögerte keine Sekunde. «Faß, Prinz!» kommandierte er und löste die Leine. Wie ein Pfeil schoß der Schäferhund vor. Aber noch ehe er sich in dem Arm des Engländers festbeißen konnte, krachte ein Schuß. Der Hund wurde zurückgeworfen, taumelte und fiel zur Seite. Während er mit gebleckten Zähnen verendete, erhob sich ringsum zorniges Geschrei.

«Mörder!» tönte es. «Schlagt ihn tot!»

«Da kann man sehen, daß das alles Metzger sind. Lauter Zuchthäusler lassen die auf uns los! Abschaum der Menschheit!»

Die Männer hoben ihre Knüppel und bewegten sich auf den Flieger zu, der erschrocken auf seine Pistole starrte, als sei sie von selbst losgegangen.

«Halt!» rief Beppo und drängte sich vor.

Walter bewunderte wieder einmal seinen Freund, der mit den erwachsenen Männern umging wie mit seinen Altersgenossen. Das kam wohl daher, daß er noch vier ältere Brüder hatte, gegen die er sich behaupten mußte. «Wartet einen Moment!» rief er eindringlich. «Laßt uns mit ihm sprechen!»

«Hier ist jedes Wort zuviel!» sagte ein älterer, schwergewichtiger Graukopf, der einen massiven Schraubenschlüssel umklammert hielt. «Weg da! Wir werden auch ohne HJ-Buben mit dem Kerl fertig.»

«Aber wir können Englisch. Hier, mein Freund» – und damit schob er Walter nach vorn – «ist der Beste in unserer Klasse in

65

Englisch. Wenn der ihm sagt, daß er die Pistole wegwerfen soll, dann tut er's bestimmt.»

Das schien den Männern einzuleuchten.

«Meinetwegen, probier's», meinte der Graukopf. «Aber lange warten wir nicht», fügte er erbost hinzu. Walters Kopf war in diesem Augenblick wie vernagelt. Ihm fiel kein vernünftiger Satz ein. «Hands up!» rief er. Und noch einmal: «Hands up!»

Der Engländer blickte ihn verstört an.

Da schaltete sich Beppo Braun wieder ein. «Los, Kamerad! Hast du nicht gehört? Hands up! Dann wird dir nix happen! Wir catchen dich und fertig. Los, schmeiß die Arms weg! Put-put!»

«Put down your arms!» rief jetzt Walter, der plötzlich wieder Englisch konnte. «Do not be afraid, comrade. You are a prisoner of war now!»

Die Männer blickten verständnislos und mißtrauisch. Aber der Flieger schien endlich zu verstehen. «All right», sagte er mit verzerrtem Lächeln. «I surrender, comrades!» Er senkte die Waffe und ließ sie fallen.

Walter wandte sich aufatmend ab.

Doch dann war mit einemmal die Hölle los. «Drauf jetzt!» rief ein vierschrötiger Mann. Im Nu waren die Dörfler über dem Engländer und knüppelten ihn zu Boden. Die Schläge dröhnten so dumpf, als schlüge man einen Sack mit Lumpen. Walter war es, als träfen sie ihn. «Aufhören!» schrie er. «Das geht doch nicht! Das könnt ihr nicht machen! Das ist gegen die Vereinbarung!»

Aber zwei der Männer stießen ihn beiseite. «Verschwindet, das ist besser für euch! Los, haut ab. Was wir hier machen, ist völlig in Ordnung. Es geht euch nichts an!»

Walter sah den Dorfpolizisten auf der Straße herankommen. Er schob sein Fahrrad neben sich her und schien es nicht besonders eilig zu haben.

«Polizei, hierher!» schrie Beppo. Einer der Männer packte ihn am Kragen und schüttelte ihn. Doch er schrie weiter: «Polizei!»

Der Gendarm schien taub und blind zu sein.

Walter versuchte mit aller Kraft, den Mann vor sich wegzuschieben. Sekundenlang sah er szenenhaft und unwirklich, wie sie den am Boden liegenden Engländer zurichteten. Ein verquollenes, dreckverschmiertes Gesicht, zwischen den Zähnen rannen Blut und Speichel aus dem Mund. Die Lippen halb geöffnet, bemühte er sich, gurgelnde Angst- und Schmerzenslaute in Worte zu fassen. «Help . . . help me, comrades . . . God save me . . . comrades . . .»

Walter spürte, wie ihm schlecht wurde. Das Gesehene tanzte vor seinen Augen wie ein Film, der schlecht in den Projektor eingelegt war. Er wehrte sich gegen die Übelkeit und gegen das Bild. Und gegen das schreiende Unrecht. Unkontrolliert schlugen seine Fäuste auf den Mann ein, dessen breiter Brustkasten ihm den Weg versperrte und der nach Stallmist, nach kaltem Schweiß und Knoblauch roch.

Das verröchelnde: «Comrades . . .» dröhnte in seinen Ohren. Es beherrschte seine Sinne und machte ihn unempfindlich gegen den harten Griff, mit dem der Mann ihn zu Boden warf und sein Gesicht in die feuchte Erde drückte. Er war sicher, daß er gleich ersticken würde. Seltsam, daß ihm das nichts ausmachte. Er versuchte nicht einmal zu schreien. Mechanisch schnappte er nach Luft und war mit einemmal weit weg.

Es dauerte eine Weile, ehe er wieder wahrnahm, was um ihn herum geschah.

«Melden muß ich es», sagte der Mann, dessen Beine mit Ledergamaschen keine zwei Schritte vor ihm aus dem Boden wuchsen. Das war der Gendarm. «Ich kann nicht einfach so tun, als hätte ich nichts gesehen. Aber keine Sorge, das kriegen wir hin.» Die Stimme klang amtlich-forsch. «Der Kerl war schließlich bewaffnet. Notwehr gegen einen Terrorflieger – da gibt es kein Gericht im ganzen Reich, das gegen euch vorgeht. Im Gegenteil – wenn das der Rothacker erfährt, dann bekommt ihr noch einen Orden.»

Die Männer ringsum lachten unsicher.

Walter stand auf und stolperte davon, ohne noch einen Blick auf den toten Engländer zu werfen.

Irgendwo traf er Beppo Braun, und schweigend gingen sie nebeneinanderher.

Erst als sie fast zu Hause waren, faßte Beppo in Worte, was sie beide dachten: «Das ist alles eine Sauerei. Ich halte es nicht mehr aus. Diese Feiglinge! Lumpenpack! Ich glaube, anständige Kerle gibt es nur noch an der Front!»

Walter antwortete nicht. Aber er dachte wie Beppo und wünschte sich mehr denn je, Soldat zu sein.

Dritte Frage

Im Zweiten Weltkrieg hat Deutschland etwa 9,5 Millionen Menschen verloren. Wenn ich das meinem Vater vorhalte, winkt er ab und sagt: «Die Zahl allein ist es nicht. Auch wenige wären zu viele gewesen.»

«Und trotzdem habt ihr euch alle damals freiwillig gemeldet und konntet es gar nicht erwarten, bis ihr alt genug wart, um für Hitler zu kämpfen.»

Das genau ist der Punkt, die weiche Stelle bei einem heruntergefallenen Apfel. Daran kauen die meisten, die damals bei Kriegsende sechzehn, siebzehn Jahre alt gewesen sind. Mein Vater gibt es ehrlich zu: «Ich verstehe es selber nicht», sagte er. «Das ist der Teil meiner Vergangenheit, der sich nicht bewältigen läßt. Das ist meine Schuld. Denn ich kann mich nicht darauf berufen, daß alle mitgemacht haben und es keine Alternative gegeben hätte.»

«Gab es denn eine?»

«Es waren nicht nur die Geschwister Scholl, die man heute als aktive Widerstandskämpfer feiert. Es gab eine ganze Anzahl, die sich damals auflehnten. Sie schwänzten den HJ-Dienst, gingen allem aus dem Weg, was mit Waffen und Krieg zu tun hatte, und es wäre ihnen nie in den Sinn gekommen, sich freiwillig zu melden. Das war damals schon viel, wenn man bedenkt, daß sie keine Leitbilder hatten, zu denen sie aufsehen konnten, zumindest keine lebendigen, keine Ideen, an denen man sich orientieren konnte, die einem das Rückgrat stärkten. Wer gegen Hitler war, der war auf sich gestellt, mußte sich seine eigene Welt schaffen. Es gehört Mut dazu, nicht mit den Wölfen zu heulen.»

«Aber du hast mit ihnen geheult?»

«Ja, man sagte uns, daß es in Zeiten der Not die vornehmste Pflicht eines jeden Bürgers sei, sein Leben für das Vaterland zu riskieren. Erinnerungen an Rom und Sparta wurden geweckt, an die Nibelungen, an Prinz Eugen und die Befreiungskriege. Damit hat man uns eingefangen. Es ist einfach, jungen Menschen einzureden, daß es der anständigere Teil des Volkes ist, der in Uniform seine Pflicht tut. Es gab niemanden, der öffentlich das Gegenteil behauptet hätte. Alle wollten zum anständigen Teil des Volkes gehören. Mitkämpfen war Ehrensache. Auch die Eitelkeit spielte eine große Rolle. Der Mensch fing erst beim Soldaten an, genauer, beim Offizier. Nur so konnte man zu den besten der Nation, zur Elite, aufsteigen. Die dicke Brieftasche war zweitrangig, der große Traum war das Ritterkreuz. Karl-May-Illusion war natürlich auch dabei. Man war Old Shatterhand und würde es den dummen Heiden schon zeigen. Mit Feuer und Schwert würde man ihnen das Heil bringen und für das Gute kämpfen und siegen oder untergehen.»

«Mensch, müßt ihr behämmert gewesen sein! Spätestens seit Vietnam sind mir Karl-May-Ideologien verhaßt. Krieg ist kein Abenteuer. Mit mir könnte man so was nicht machen.»

«Du lebst in einer Welt, in der Meinungsfreiheit möglich ist. Wir hatten dagegen keine große Auswahl. Unsere Gehirne funktionierten nur nach einer Richtung, weil wir nur eine Richtung kannten. Wir hätten es als ehrenrührig und feige empfunden, uns vor dem Kriegsdienst zu drücken.»

«Aber die Soldaten, die von der Front kamen, die müssen doch erzählt haben, wie grausam er ist.»

«Die wenigsten erzählten, wie es wirklich war. Die meisten brüsteten sich mit Heldentaten, die sie vermutlich nur vom Hörensagen kannten. Sie erzählten sie so oft, daß sie am Ende selber daran glaubten. Du kannst ihr Gerede heute noch am Stammtisch hören: ‹. . . und da sage ich dem Batteriechef: Entweder Sie lassen jetzt die Achtacht am Waldrand auffahren oder ich knall Sie über den Haufen, Mann!› ‹Damals nach dem Verrat von Badoglio, mein lieber Schwan, da haben mein Hauptmann und ich, wir zwei ganz allein, eine ganze Kompanie Itaker entwaffnet. Ich halt ihnen die Spritze hin und sage: Ein scheeler Blick, und ich mache euch Knopflöcher in die Spaghettiwänste.› ‹Ha, weißt du noch, wie wir in Saloniki aufgeräumt haben?› – ‹Am Wolchow haben wir mal mit dem Flammenwerfer zwanzig Russen . . .› So reden sie heute noch. Oder schon wieder. Nur einmal, so erinnere ich mich, sagte einer die Wahrheit. Das war Onkel Hans. Er kam Weihnachten 1941 von der Ostfront, als die deutsche Offensive vor Moskau zum Stillstand gekommen war. Er hatte nur noch einen Arm und erzählte grauenvolle Dinge. Keiner glaubte sie ihm. Alle lächelten, als er sagte: ‹Dieser Krieg ist verloren!› Man wollte ihm nicht glauben.»

«Wäre es denn besser gewesen, wenn Hitler den Krieg gewonnen hätte?»

«Natürlich nicht. Natürlich behaupten viele: Wenn Hitler nicht so viele Fehler gemacht hätte, wäre alles gutgegangen. Dabei gibt es wirklich nur einen entscheidenden Fehler. Und den haben wir alle gemacht, indem wir uns Hitler leisteten.»

«Alles kann man ja nun auch nicht auf Hitler schieben. Ihr wart einfach zu kritiklos. Manchmal wünsche ich mir direkt einen Hitler. Nur um euch zu beweisen, daß wir, die junge Generation, uns nicht in die Suppe spucken lassen. Mit den Nazis würden wir schon fertig werden.»

«Genau diese Behauptung ist es, die mir angst macht. Sie zeigt, daß Menschen aus der Geschichte nichts lernen. Schon gar nicht, wenn sie sie nicht selbst erlebt haben. Wer nie eine Gallenkolik oder einen Magendurchbruch erlitten hat, kann

70

die Schmerzen nicht ermessen. Genauso ist es mit den Schrekken des Krieges. So schlimm kann es doch gar nicht gewesen
sein, mag mancher denken, der nicht aus Erfahrung weiß, wie
es war.»
«Und wie ist es gewesen? Sag es doch! Wie war der Krieg?
Wie hast du ihn erlebt? Wie war es wirklich?»
Und dann hörte ich nur noch zu.

Wir retten unser Vaterland

Anfang 1945 glaubten nur noch die Phantasten an einen Sieg
Deutschlands. Das waren damals nicht wenige. Was blieb den
Menschen auch anderes übrig, als an Wunder zu glauben. Die
Propagandaparole lautete: Sieg oder Untergang. An stehengebliebenen Mauerresten konnte man lesen: «Mauern können brechen, aber unsere Herzen nicht.» Und die Farbe war
frisch. Seit dem Attentat auf Hitler am 20. Juli 1944 ahnten
viele die totale Niederlage. Doch die Angst vor dem Ungewissen und das brutale Vorgehen der Parteiorgane ließen die
Nation ausharren. Der Strohhalm, an den man sich klammerte, waren die versprochenen neuen Wunderwaffen, die den
Sieg doch noch herbeiführen sollten. Doch auch die letzte
Offensive in den Ardennen blieb stecken. Der Feind rückte
weiter vor. Im Westen erreichten die Alliierten den Rhein, im
Osten stand die Rote Armee an der Oder.
In dieser hoffnungslosen Lage beschlossen Walter und seine
Freunde, das Vaterland zu retten. Sie spürten, daß nun ihre
Stunde gekommen war. Man brauchte sie. Sie, die Jungen
zwischen vierzehn und sechzehn glaubten, was man ihnen
jahrelang gepredigt hatte: «Deutschland wird niemals untergehen», «Du bist nichts, dein Volk ist alles» und «Jugend
kennt keine Gefahren». In gläubiger Einfalt scharten sie sich,
die Treuesten der noch übriggebliebenen Treuen, unter Hitlers Fahne:

«Die Fahne führt uns in die Ewigkeit,
denn die Fahne ist mehr als der Tod!»

Hinzu kamen Abenteuerlust, das erregende Gefühl, mit Waffen umzugehen, und ein unglaublicher Optimismus: Sie und ihresgleichen würden doch noch Deutschlands Sieg herbeiführen.

«Das Genie des Führers wird sich zeigen», tönte Max Rothacker. «Er wartet den richtigen Augenblick ab, und dann schlägt er los!»

«Hoffentlich tut er's bald», wagte Beppo Braun einzuwenden. «Wenigstens solange er noch Platz zum Ausholen hat. Sonst erschlagen wir uns ja selber!»

Rothacker grinste verächtlich. «Du bist vielleicht eine trübe Tasse! Das ist doch gerade der Trick. Bisher war der Feind noch nicht weit genug vorgerückt, um ihn vernichten zu können. Aber bald ist es soweit, das könnt ihr mir glauben.»

«Das verstehe ich nicht.»

«Paß auf: In Frankreich haben die Alliierten ihre ganze Streitmacht zusammengezogen, und die Russen haben ihre Armeen in Polen konzentriert. Genau dort wird sie der Führer mit Hilfe der neuen Waffen schlagen. Die wenigen Kampftruppen, die über unsere Grenzen vorgerückt sind, die erledigen wir!» Seine Augen leuchteten. «Die werden wir im Kampf aufreiben bis auf den letzten Mann!»

Doch Beppo Braun war skeptisch. «Mit den neuen Waffen sollten sie sich schon etwas beeilen», meinte er. «Mit der V1 und V2 allein ist es bestimmt nicht zu schaffen.»

«Du vergißt die Me 262, den neuen Turbinenjäger. Einige dieser Maschinen sollen schon im Einsatz sein. Das hat ein Flakoffizier gestern erzählt. Die Dinger sind so schnell, daß sie der Gegner gar nicht anfliegen sieht. Da knallt's dann ein paarmal, und sie sind abgeschossen.»

Walter Jendrich schwieg zu alledem. Er ahnte, daß die nächsten Wochen, wenn nicht Tage, die Entscheidung bringen mußten.

Im Herbst 1944 verließen sie die kleine Stadt. Als die alliierten Panzer nach der Invasion Frankreich überrollten, hatten sie sich freiwillig zum Schanzen gemeldet. Die halbe Klasse nutzte die Gelegenheit, den Unterricht sozusagen auf ehrenvolle Weise zu schwänzen. Transporte Halbwüchsiger wurden zusammengestellt und über den Rhein verfrachtet. In Lothringen, irgendwo in der Gegend von Luneville, mußten sie Schützengräben ausheben und Panzersperren errichten. In harter Arbeit, bei Wind und Regen, entstanden Infanteriestellungen, die von den zurückflutenden deutschen Truppen als neue Verteidigungslinien bezogen werden sollten.

Doch die schwere Arbeit war sinnlos. Noch bevor es kalt wurde, mußten sie zurück über den Rhein. Die Stellungen waren nicht schlecht. Nur – es fehlte an Truppen, die sie verteidigten. Im mittelbadischen Raum gruben sie verbissen weiter, unterstützt von freiwilligen Helfern aus der Bevölkerung. Auch ein paar Mädchen waren dabei, «zackige Puppen», wie Max Rothacker sie fachkundig einstufte. Mit ihnen konnte man während der Arbeit flachsen. Es war alles ganz prima. Ganz anders als in Lothringen, wo sie von den Einheimischen mißtrauisch beobachtet wurden und jedermann sie spüren ließ, daß sie als «Reichsdeutsche» nicht willkommen waren.

Das Schanzen war mühsam. Schwielige Hornhaut überzog ihre Hände. Sie schaufelten ihre Laufgräben selbständig, die Anweisungen der Unteroffiziere und Feldwebel, die sie beaufsichtigten, waren unnötig. Keiner konnte sich vorstellen, daß diese Stellungen wirklich einmal bezogen werden würden. Wenn der Feind tatsächlich hier über den Rhein in den Schwarzwald vorstieß – wer sollte ihn dann noch aufhalten? «Natürlich wir», sagte Max Rothacker selbstbewußt. «Hinter den Landsern siehst du jetzt so viele alte Säcke – mit denen ist kein Krieg zu gewinnen. Die laufen beim ersten Schuß davon. Nur die SS und wir, die Jungen! Wartet nur ab. Wo wir hinhauen, da wächst kein Gras mehr!»

Die Jungen waren froh, als es Frühling wurde. Der zurückliegende Winter war hart gewesen. Nachts froren sie auf ihren Pritschen, weil die Kälte durch alle Fugen des alten Schulgebäudes drang. Je zwanzig Mann bewohnten ein Klassenzimmer. Ihre knapp bemessene Freizeit verbrachten sie im Singsaal, der gleichzeitig als Speiseraum diente. Bei schönem Wetter spielten sie draußen Fußball. Manchmal gingen sie auch in das einzige Kino des kleinen Ortes oder quatschten Mädchen an.

Die Verpflegung war nicht schlecht. Trotzdem hatten sie ständig Hunger, weil die Portionen zu klein waren. Sie lernten «Organisieren». So nannte man damals die Kunst, sich das zu besorgen, was man selbst nicht hatte und doch notwendig brauchte. Wie eng oder weit der Begriff des Organisierens auszulegen war, blieb jedem selbst überlassen. Wie einer zu etwas kam, interessierte nicht. Erlaubt war alles. Ungeschriebenes Gesetz: Man durfte sich nicht erwischen lassen.

Einmal kam Max Rothacker mit einem Huhn an, das sich angeblich verlaufen hatte. So genau wollte das keiner wissen. Sie verschlangen es mit Heißhunger, nachdem es in der Küche gekocht worden war. Es war wie Weihnachten.

Auf die netteste Art verstand Beppo Braun zu organisieren. Er war der lustige Vogel von früher geblieben. In seiner direkten Art fand er überall schnell Kontakt. Man ahnte, daß schwere Zeiten bevorstanden, und rückte deshalb enger zusammen. In dieser Lage konnte einer mit einem aufmunternden Spaß Freunde gewinnen.

Beppos Erfolge waren nicht zu übersehen. Wenn er abends zurückkam und seine Taschen leerte, zog er alle Blicke auf sich. Dicke Speckscheiben und Bauernbrotkanten kamen zum Vorschein, Wurst und Obst. Das zeugte von der Sympathie, die Beppo besonders bei den Mädchen des Dorfes genoß. Er breitete seine Schätze aus wie ein Jäger seine Beute. Dann verteilte er alles, während er den Kopf auf die Seite legte und zu «hotten» anfing. Er trällerte einen Schlager, wobei er mit der Speckschwarte Synkopen in die Luft schlug und mit der Fußspitze dazu wippte: «Wenn ein junger Mann kommt,

der fü-fühlt, worauf's ankommt, weiß ich, was ich tu, dabbe-
dibbedabbedu . . .»

Sie lebten im Frühjahr 1945 in einer Art Hochstimmung, in
einer ständigen Erwartung. Niemand wußte, was die nächsten Stunden bringen würden.

Im März schrieb Walter Jendrich seinen letzten Brief nach
Hause:

Liebe Mutter und Ellen!

Ich sitze hier ganz allein in der Ecke unseres Speisesaals und
schreibe an Euch. Nebenan in der Küche klappert Geschirr.
Meine Kameraden sind auf den Stuben. Auch ich sollte mich
fertig machen, denn gleich ist Zapfenstreich. Aber in letzter
Zeit ist alles halb so zackig. Unsere Vorgesetzten, ein Feldmeister vom Arbeitsdienst und ein paar leichtverwundete
Unteroffiziere sind alte Hasen und halten nicht allzuviel von
Drill. Wie geht es Euch? Ich hoffe, daß Ihr gesund seid und
nicht ständig unter Luftangriffen zu leiden habt. Aber das hat
nun die längste Zeit gedauert. Wir sind alle sicher, daß der
Sieg nicht mehr fern ist. Euer letztes Päckchen war vierzehn
Tage unterwegs. Das Marmeladeglas war kaputt und die Kek-
se zerkrümelt. Aber es hat uns trotzdem geschmeckt. Schickt
bitte nichts mehr. Ihr braucht es doch selber, und wir bekommen genügend zu essen. Sonst ist es hier sehr ruhig. Wir
arbeiten täglich bis zu zehn Stunden, dafür bei schlechtem
Wetter so gut wie gar nicht. Ihr werdet Euch wundern, wie
ich gewachsen bin und was ich alles gelernt habe. Habt Ihr
schon Nachricht von Vater? Ich muß nun schließen. Paßt gut
auf Euch auf. Ich freue mich schon auf ein Wiedersehen,
hoffentlich bald.

Herzliche Grüße, Euer Walter

Er hätte gern ausführlicher geschrieben. Aber Einzelheiten
zur militärischen Lage und zur Versorgungssituation durften
sie nicht schreiben. Die Briefe wurden manchmal zensiert. Sie
wußten es, fanden es selbstverständlich und richteten sich
danach.

Tatsächlich war die Lage anders, als Walter sie in seinem Brief angedeutet hatte. Sie schaufelten längst keine Laufgräben mehr. Sie bauten Panzersperren. Sie rammten Pfähle in die Straßen. Manchmal waren es regelrechte Eisenträger, die einbetoniert wurden. Für die eigenen Fahrzeuge wurden schmale Durchfahrten freigelassen. Das Essen wurde kärglicher. Selbst Kartoffeln waren Mangelware.

Die Bevölkerung war unfreundlich und hatte es sich abgewöhnt, mit: «Heil Hitler!» zu grüßen. Man verkroch sich in den Häusern. Soldaten und halbmilitärische Formationen beherrschten das Straßenbild. Pferdefuhrwerke, Lastwagen mit Holzvergasern beförderten Lebensmittel, Munition und Flüchtlingsgut. Tiefflieger griffen den Bahnhof an, zerstörten Waggons und einige abgestellte Lokomotiven. Mehrere Häuser ringsum wurden beschädigt. Die Landstraßen waren Angriffsziel feindlicher Jagdbomber. Sie waren überall und stürzten sich auf alles, was sich bewegte. Entlang der Straßen waren in bestimmten Abständen Deckungslöcher angelegt worden, in die man sich bei akuter Gefahr verkriechen konnte. Einmal zeigten sich zwei deutsche Jagdflugzeuge, Me 109, die sich offenbar in einem Anfall von Selbstzerstörungswut auf ein Rudel Jagdbomber, Mustangs und Thunderbolts stürzten. Der Luftkampf dauerte nur Sekunden. Dann sah man die deutschen Maschinen wie brennende Pfeile vom Himmel stürzen.

Walter und ein paar andere hatten es beobachtet. Ihre Zuversicht erlitt einen spürbaren Dämpfer. Dann traf die Nachricht ein, daß die französische Tassigny-Armee nach Überschreitung des Rheins Karlsruhe besetzt hatte. Am weitesten waren die Amerikaner vorgedrungen. Wie aus den spärlichen Nachrichten zu entnehmen war, wurde in mitteldeutschen Städten gekämpft. Immer wieder bestürmten die Jungen ihren Vorgesetzten, dafür zu sorgen, daß sie so schnell wie möglich zum Fronteinsatz kämen. Sie hatten es satt, dem Vaterland nur mit dem Spaten zu dienen. Sie brannten darauf, es mit der Waffe zu verteidigen.

Doch der Feldmeister Ernst Koppert saß viel lieber mit seinen Unterführern und den Offizieren der umliegenden Einheiten in der Grässelmühle zusammen. Das war eine etwas abgelegene Kneipe, in der an besondere Gäste noch badischer Wein ausgeschenkt wurde.

«Ihr kommt noch früh genug an die Reihe», meinte Koppert. «Wir haben keine Waffen. Karabiner wären das mindeste, was man für einen Einsatz benötigt. Außerdem Handgranaten, Panzerfäuste und Munition. Wo wollen wir das hernehmen?»

Auf diese Weise hoffte er, die Jungen zu vertrösten. Aber sie wußten ganz genau, wo sie das Zeug hernehmen sollten. Sie organisierten. Das zumindest hatten sie gelernt.

In ihrer freien Zeit stiefelten sie die Schwarzwaldhänge hinauf. Rund um die Hornisgrinde waren Waffenlager der Wehrmacht, gab es genügend Munition. Die gestapelten Kisten wurden von Posten bewacht. Aber für die Jungen war es kein Problem, ungesehen zu klauen, was sie glaubten, für einen Fronteinsatz zu brauchen. Sie schleppten kistenweise Eierhandgranaten davon. Auch 08-Munition für Pistolen und MPs, sogar Panzerfäuste organisierten sie.

Der große Wurf aber gelang Werner Drews, dem Kleinsten der Abteilung. Auf der Suche nach Waffen erkletterte er abends in der Dämmerung einen unbewachten Wehrmachts-Lkw, der neben der Schule parkte. Sein Herz klopfte wie wild, als er unter der Plane ein Maschinengewehr entdeckte, ein MG 42. Außerdem drei Pistolen, zwei Pi 38 und eine 08.

Werner Drews zögerte nicht. Er rannte in die Unterkunft und schnappte sich die ersten beiden Jungen, die ihm über den Weg liefen. Es waren Walter Jendrich und Beppo Braun. «Kommt mit!» rief er. «Ich hab was zum Organisieren. Euch fallen die Augen aus dem Kopf, wenn ihr das seht!»

Die beiden machten in der Tat große Augen, als er berichtete. «Warten wir, bis es dunkel ist», schlug Walter vor. «Wenn man uns erwischt – ich weiß nicht, ich habe kein gutes Gefühl. Immerhin handelt es sich hier um Eigentum des Heeres . . .»

«Quatsch», meinte Max Rothacker, der dazukam. «Wer nichts riskiert, kommt nicht ins Zuchthaus. Das ist eine einmalige Gelegenheit. Ran an die Buletten! Wenn wir noch lange zögern, haut der Lkw ab!»

«Und was passiert, wenn sie uns erwischen?» fragte Beppo Braun.

Es war Walter, der sie mit seiner Antwort ernüchterte: «Es kann uns als Sabotage ausgelegt werden. Und dann stellen sie uns an die Wand.»

Eine Weile herrschte Schweigen. Dann lachten sie alle auf einmal los. So, als ob einer einen guten Witz gemacht hätte. Ganz wohl war ihnen nicht bei der Sache.

Trotzdem gingen sie auf die Straße. Weniger, weil sie fürchteten, daß der Lkw abfahren könnte. Insgeheim wünschten sie sich das wahrscheinlich. Nein, sie wollten es hinter sich bringen. Je schneller, desto besser. Draußen war es ruhig. Max Rothacker half Werner Drews auf den Wagen, während Walter und Beppo Braun Schmiere standen.

«Mensch, paß doch auf!» zischte Rothacker, als der Kleine an der Ladeklappe hängenblieb und die Beschläge schepperten. Doch nichts geschah.

Der Kleine wuchtete zuerst das MG herunter und dann die Pistolen. Max Rothacker stand unten und nahm sie ihm ab.

«Los, runter! Und dann nichts wie weg!»

Minuten später standen sie wieder in ihrer Stube und betrachteten die Beute, als hätten sie gerade einen Millionencoup gelandet. Die anderen umringten sie und feierten die vier wie Helden. «Das ist ein dicker Hund!» meinten sie, als sie alles gehört hatten. «Das schlägt alle Rekorde.»

Sie versteckten ihre Schätze unter den Betten. Aber was nutzte die fetteste Beute, wenn man sie nicht zeigen durfte? Eine Stunde später schleppten sie das MG zu Feldwebel Kirn, mit dem sie sich gut verstanden. Die Pistolen ließen sie im Versteck.

Der Feldwebel war sichtlich beeindruckt. Dann holte er tief Luft, um die Jungen der Ordnung halber erst einmal zur Sau zu machen. Aber als er die strahlenden Mienen «dieser Idioten» sah, ließ er es sein. Offenbar erwarteten sie für ihren lebensgefährlichen Unfug noch ein Lob.

Der Feldwebel war ein vernünftiger Mann, der die Dinge realistisch betrachtete. Er hielt den Krieg längst für verloren. Doch er hütete sich, diese Erkenntnis an die große Glocke zu hängen. Er hatte keine Lust, dafür als Hochverräter abgeurteilt zu werden. Deswegen versuchte er vorsichtig, die Jungen allmählich auf den Boden der Tatsachen zurückzuholen. Zunächst einmal sagte er: «Ganz schön, die Knarre, aber mit einem MG allein ist noch kein Krieg zu führen. Außerdem habt ihr keine Ahnung, wie das Ding funktioniert. Ich schlage vor, ihr laßt das MG hier. Ich verspreche euch, daß wir während des Geländedienstes damit üben, bis ihr die Griffe beherrscht. Selbstverständlich machen wir auch Schießübungen. Auch eure Panzerfäuste werden wir ausprobieren.»

Die Jungen waren einverstanden.

«Und kein Wort darüber, zu niemandem, verstanden! Ich habe keine Ahnung, wo ihr das Ding her habt. Und ich will es auch gar nicht wissen. Es ist besser, ihr schweigt darüber!»

Der Feldwebel hielt Wort. Er übte mit ihnen Gurt einlegen, Lauf- und Schloßwechsel und ließ sogar jeden ein paar Feuerstöße auf eine alte Baumwurzel abgeben. Er zeigte ihnen, wie man mit der Panzerfaust umgeht, wie man die Treib- und Sprengsätze, die wie Sicherungen aussehen, ins Rohr schiebt: Loch auf Loch – so war es am besten zu behalten. Das alles geschah innerhalb von zwei Tagen. Am Ende fühlten sich die Jungen so gut ausgebildet, daß sie sich die Franzosen geradezu herbeiwünschten, um «es ihnen zu zeigen».

Die rückten inzwischen zügig voran und standen bereits in Rastatt, etwa dreißig Kilometer entfernt.

Die Straßen waren blockiert. Melder auf Krafträdern schlängelten sich durch Fahrzeugkolonnen. Offiziere in zerbeulten Pkws kommandierten Landsereinheiten in verschiedene Richtungen. Schwere Laster mit Geschützen donnerten vorbei. Die meisten fuhren in Richtung Alpenfestung, wie es hieß. Dort sei eine neue, unüberwindliche Verteidigungslinie aufgebaut worden. Dorthin galt es nun, sich zurückzuziehen. In diesem Durcheinander war es schon ein absurder Zufall, dem Werner Drews zum Opfer fiel. Der Griff seiner Pistole war beschädigt, das Magazin hatte keinen Halt mehr. Deshalb brachte er die Waffe zu einem Schmied am Ort, um sich eine kleine Metallsperre anschweißen zu lassen. Werner Drews war sicher, daß der Teufel persönlich seine Hand im Spiel gehabt haben mußte, als kurz nach ihm zwei Landser die Schmiede betraten. Sie sahen die Pistole und erkannten sie sofort als eine der Waffen, die von ihrem Lkw gestohlen worden waren. Sie packten Werner Drews am Kragen und führten ihn zu ihrer Einheit. Dort heizten sie dem Jungen so ein, daß ihm nichts anderes übrigblieb, als den Diebstahl der Pistolen zu gestehen. Er weigerte sich aber standhaft, etwas über den Verbleib des Maschinengewehrs auszusagen. Davon wisse er nichts, beharrte er.

Auch die anderen hielten dicht. Als die Feldgendarmerie aufkreuzte, gaben sie alle Pistolen freiwillig heraus. Über das Maschinengewehr schwiegen sie sich aus. Es wurde bei der anschließenden Durchsuchung nicht gefunden. Niemand kam auf den Gedanken, es in der Stube von Feldwebel Kirn zu suchen.

Die vier Jungen sperrte man in eine Kellerzelle. Man werde sie vor ein Kriegsgericht bringen, hieß es. Am folgenden Tag wurden sie einzeln verhört. Im Dienstraum des Feldmeisters nahm Walter Jendrich Haltung an. Vor ihm saßen ein magerer bebrillter Hauptmann und ein zynisch grinsender, blutjunger Leutnant, beide von der Infanterie. Außerdem waren ein Feldmeister und Feldwebel Kirn zugegen.

«Rühren!» befahl der Hauptmann mit einer quengelnden Stimme und rieb sich die Hände, als sei er unschlüssig. Mit einem widerwilligen Seufzer begann er schließlich Fragen zu stellen: «Name?»

«Walter Jendrich.»

«Wie alt?»

Walter schluckte. «Ich werde demnächst sechzehn.» Der Hauptmann sah ihn durchdringend an. Dann wandte er sich an den Leutnant. «Wird sechzehn», sagte er mit besonderer Betonung, so daß es Walter vorkam, als sei es ein Verbrechen, noch nicht sechzehn Jahre alt zu sein.

Der Leutnant hob mißmutig die Schultern. «Die Truppenanweisungen», sagte er, «basierend auf dem Führerbefehl, sind eindeutig. Von einer Altersgrenze nach unten ist in diesem Zusammenhang keine Rede.»

Wieder seufzte der Hauptmann. «Na schön. Dann erzähl uns mal, Jendrich, wie ihr zu den Waffen gekommen seid und was ihr vorhattet. Aber keine Romane, wenn ich bitten darf, sondern kurz und präzise», fügte er mit einiger Schärfe hinzu.

Walter Jendrich erschienen die letzten vierundzwanzig Stunden wie ein böser Traum. Er konnte nicht begreifen, daß sie sich für eine Tat verantworten mußten, die bei aller Gesetzeswidrigkeit letzten Endes doch aus lauteren und ehrenhaften Gründen begangen worden war. Schließlich hatten sie mit den Waffen nichts Schlechtes im Sinn. Sie wollten sich auch nicht daran bereichern. Ihr einziges Ziel war gewesen, das Vaterland zu verteidigen. Andererseits sah er natürlich ein, daß man ihnen dafür keine Auszeichnung verleihen konnte. Er kam sich vor wie Gustav Fröhlich in dem Film «Der große König». Er hatte, entgegen dem Befehl des Königs, zu früh mit dem Angriff begonnen, dadurch aber den Sieg der Preußen gesichert. Und der Alte Fritz hatte in solchen Fällen ein urpreußisches und lesebuchreifes Rezept: Er ließ den ebenso umsichtigen wie ungehorsamen Feldwebel ans Rad flechten und machte ihn gleichzeitig zum Offizier.

Unsicher und stockend schilderte Walter, wie sie die Pistolen «organisiert» hatten. Das Maschinengewehr verschwieg er.

«Hör zu, Jendrich», sagte der Hauptmann, als Walter geendet hatte. «Ihr habt eine große Dummheit gemacht. Ob man euch da wieder raushelfen kann? Allerdings steht eines fest: nämlich, daß ihr alle in Teufels Küche kommen werdet, wenn ihr nicht sagt, wo ihr das MG gelassen habt.»

Das war unmißverständlich, und Walter erkannte, daß die Lage ernster war, als sie angenommen hatten. Er wurde unsicher und blickte zu dem Feldwebel hinüber. Doch als er sah, daß Kirn unbeteiligt die Tischplatte anstarrte, faßte er sich wieder. «Ich weiß von keinem MG», sagte er trotzig. «Auf dem Lkw haben wir keines gesehen.»

Einen Augenblick lang war es totenstill. Dann schlug der Leutnant mit der flachen Hand auf den Tisch. «Das ist Meuterei!» brüllte er mit einer Kasernenhofstimme. «Hundsgemeine Sabotage! Aber das könnt ihr mit uns nicht machen! Wir lassen uns von euch Schweinehunden doch nicht verarschen!»

Der Leutnant war hochrot im Gesicht, und aus seinem Blick konnte man alles andere als Verständnis herauslesen. Walter sah, daß der Offizier keinerlei Auszeichnungen trug, nur das goldene HJ-Abzeichen. Und er ahnte, daß dieser Fanatiker wohl kaum ein Fridericus war, der ihm zum Ausgleich für den Anschiß gleich eine Tafel Schokolade schenken würde. Doch er schwieg und spürte zugleich, wie ihm das Herz bis zum Hals hinauf klopfte.

Nach diesem Ausbruch fuhr der Leutnant sachlicher und kühler fort: «Wir, Front und Heimat, stehen in einem Entscheidungskampf ohnegleichen. Der Führer hat jeden von uns aufgerufen, an seinem Platz alle Anstrengung auf das eine Ziel zu richten: den Endsieg. Und da kommt ihr daher und fallt uns in den Rücken. Reißt euch aus purem Übermut Waffen unter den Nagel, die anderweitig dringend gebraucht werden. – Halt den Rand! Jetzt rede ich!» herrschte er Walter an, als dieser etwas sagen wollte. «Ihr könnt nicht behaupten, daß ihr die Waffen gestohlen habt, um für den Führer zu kämpfen.» Den letzten Satz sprach er zu dem Feldmeister. «Was ihr angerichtet habt, ist nicht wiedergutzumachen. Der Schaden ist noch gar nicht abzusehen. Das Maschinengewehr und die Pistolen fehlten vielleicht gerade dort, wo sie dringend gebraucht wurden. Möglicherweise ist es an dieser Stelle dem Feind gelungen, einen Einbruch zu erzielen. Unter Umständen hat das Fehlen dieser Waffen deutschen Soldaten das

Leben gekostet. Derartige Folgen sind keineswegs auszuschließen. Gegen jeden anderen würde in diesem Fall die Höchststrafe verhängt. Disziplin ist in Krisenzeiten geradezu eine Pflicht. Es ist nicht einzusehen, warum man bei euch eine Ausnahme machen sollte. Damit du klarsiehst, Jendrich: Ich werde alles tun, um euch vors Standgericht zu bringen.»

Obwohl der Leutnant nur aussprach, was sie selbst schon befürchtet hatten, traf Walter diese Eröffnung wie ein Schlag. Standgericht – Todesstrafe – Exekutionskommando – Feuer! Wirre Gedankenfetzen formten sich zu Schreckensbildern, und Angst schnürte ihm die Kehle zu.

Man führte ihn in einen Nebenraum, während die anderen, ebenfalls einzeln, verhört wurden. Danach mußten sie alle zusammen wieder hinein. Diesmal ergriff der Feldmeister das Wort. Er sagte, an die Adresse des Leutnants gerichtet, daß er den ganzen Vorfall bedaure, weil er sein Arbeitskommando betreffe, und auch deshalb, weil vier seiner besten Leute darin verwickelt seien. Die Jungen schöpften schwache Hoffnung. Sie merkten, daß der Feldmeister den Versuch machte, sie herauszupauken. Und sie verstanden recht gut, daß er den Schein wahren mußte und scharf argumentierte.

«Auch ich», sagte er, «bin für eine strenge Bestrafung. Zumal keiner von euch den Mut hatte, die Sache mit dem MG zuzugeben. Ihr dürft uns doch nicht für dümmer halten, als wir sind. Glaubt ihr vielleicht, es ließe sich geheimhalten, daß in eurer Gruppe ein Maschinengewehr existiert, nachdem alle schon damit geübt haben? Oder glaubt ihr, wir hätten Tomaten auf den Augen? Ganz abgesehen davon ist Unteroffizier Kirn noch am selben Abend zu mir gekommen und hat mir Meldung erstattet, daß ihr ein Maschinengewehr aufgetrieben habt. Ich bin der Sache nur deshalb nicht weiter nachgegangen, weil es ziemlich aussichtslos wäre, bei all den durchziehenden Truppenteilen nachzuforschen. Außerdem sind die Betroffenen genauso schuldig. Ein Soldat hat seine Waffe immer im Auge zu behalten. Wer eine Waffe verliert, muß die Konsequenzen tragen.»

«Die drei Leute werden morgen früh abgeurteilt», warf der Leutnant ein. «Sie haben ihren Lkw unbewacht stehenlassen, um in einem Bauernhaus Schnaps zu saufen.»

Der Feldmeister schluckte. Auch er schien zu spüren, daß nun etwas Entscheidendes gesagt werden mußte, um die Jungen vor dem Standgericht zu bewahren. Dies war nur möglich, wenn er eine Art Strafe vorwegnahm. Rechtzeitig, noch bevor der Hauptmann das Verhör beendete, fiel ihm etwas ein. Der Feldmeister erhob sich und blieb vor den vier Jungen stehen. «Stillgestanden!» kommandierte er barsch. Und dann dröhnte seine Stimme abgehackt durch den Raum: «Als verantwortlicher Befehlshaber der Arbeitsgruppe zwei spreche ich dem HJ-Gefolgschaftsführer Max Rothacker, den Kameradschaftsführern Josef Braun und Walter Jendrich sowie dem Oberrottenführer Werner Drews wegen rechtswidriger Aneignung von Heereseigentum einen schweren Verweis aus und degradiere sie zu einfachen Hitler-Jungen.» Eigenhändig rupfte er jedem einzelnen die Sterne und Litzen von den Achselstücken.

Die vier glaubten schon, daß es bei dieser nicht gerade rühmlichen, aber doch glimpflichen Strafe bleiben würde. Doch der Leutnant durchschaute das Manöver und legte Einspruch ein. «Damit ist die Sache keineswegs erledigt», sagte er. «Dazu ist sie viel zu ernst. Ich werde nach wie vor ein Standgerichtsverfahren beim Ortskommandanten beantragen!»

«Tun Sie das!» schaltete sich der Hauptmann wieder ein. Er war ungehalten. Er hatte gehofft, die Sache, die ihm nun fast völlig aus der Hand geglitten war, schnell hinter sich zu bringen. Jetzt versuchte er, wenigstens in letzter Minute seine Autorität unter Beweis zu stellen.

Er wandte sich den vier Jungen zu: «Bis zur endgültigen Entscheidung steht ihr unter Hausarrest. Ihr könnt wegtreten!»

«Augenblick!» rief der Leutmant. «Entschuldigung, Herr Hauptmann, aber ich muß darauf bestehen, daß die Beschuldigten in Militärgewahrsam genommen werden, bis der Orts-

kommandant über das weitere Verfahren entschieden hat.»
«Ich muß doch sehr bitten, Herr Leutnant!» brauste der Hauptmann auf. «Ich habe einen klaren Befehl erteilt, und ich erwarte, daß er ausgeführt wird, verstanden!» Als der Leutnant schwieg, wandte er sich noch einmal den Jungen zu: «Ihr habt selbstverständlich auf eurer Stube zu bleiben. Wer austreten muß, wendet sich an den Posten auf dem Gang. Sie, Herr Feldmeister, muß ich ersuchen, für Bewachung zu sorgen und die Verantwortung für die vier zu übernehmen.»
«Geht in Ordnung, Herr Hauptmann.»
«Gut. Damit wäre alles klar.» Er erhob sich, setzte die Mütze auf, grüßte und ging hinaus.
Der Leutnant folgte ihm auf dem Fuß.
«Geht auf eure Bude und macht keine Dummheiten!» sagte der Feldmeister, als er sah, daß die Jungen noch immer unschlüssig herumstanden. Es klang nicht unfreundlich, aber auch nicht sehr zuversichtlich, wie Walter herauszuhören glaubte.
Im Gehen hörten sie den Unteroffizier rufen: «Ich lasse euch etwas zu essen bringen!» Es klang in Walters Ohren wie eine Entschuldigung. Vielleicht hatte Kirn ein schlechtes Gewissen, weil er dem Feldmeister die Geschichte mit dem MG gesteckt hatte. Aber er hatte keine Wahl gehabt, er hatte es melden müssen.
Wie gelähmt saßen sie wenig später auf ihren Betten und starrten die Wände an. Zum Glück kamen immer wieder Kameraden herein, die sie aufzuheitern und abzulenken versuchten.
«Das ist alles halb so schlimm», meinte Gerhard Renz. «Am Westwall haben mal O.T.-Arbeiter einen Militärlastwagen geklaut, ihn umfrisiert und an einen Privatmann verscheuert. Von dem Dutzend Leuten, die daran beteiligt waren, sind nur zwei zum Tod verurteilt worden. Die andern sind längst wieder auf freiem Fuß, und keiner trägt ihnen was nach.»
«Mensch, du hast aber 'n Gemüt wie 'n Fleischerhund», bemerkte Alfred Wolf dazu, als er sah, wie die vier immer

85

blasser wurden. «So 'nen Krampf zu erzählen! Das kann man doch gar nicht vergleichen.»

«Kann man auch nicht», knurrte Max Rothacker in einem Anflug von Galgenhumor. Er verzog die Mundwinkel, um zu zeigen, daß er noch lächeln konnte.

«Ein Lkw ist bloß ein Transportmittel. Wenn sie deswegen zwei an die Wand stellen, dann werden sie fürs Waffenklauen erst recht – na, gute Nacht!»

«Der Leutnant, das ist vielleicht ein Arschloch», sagte Wolf. Dem widersprach der kleine Renz: «Der tut nur seine Pflicht. Man muß auch mal den anderen Standpunkt sehen. Wenn jeder bei der Wehrmacht Waffen abstauben würde, wo kämen wir da hin!»

«Hör doch auf, Mann! Du wirst sehen, es passiert nichts. Die Franzosen sind noch etwa zwanzig Kilometer entfernt. Denkst du, da wird man noch große Kriegsgerichtsverfahren einleiten?»

«Standgericht», verbesserte Renz. «So was geht in zwei Minuten über die Bühne.»

«Quatsch!» Wolf winkte ab. «Jetzt wird jeder Mann gebraucht. Und überhaupt: Mit Jungen, die kämpfen wollen, kann man so etwas nicht machen. Nie im Leben . . .»

Für die vier war es ein bedrückender Tag, eine schlaflose Nacht.

Und dann löste sich alles auf die einfachste Weise. Gegen drei Uhr morgens ertönte Alarm. «Fertigmachen!» hieß es. «Abmarsch in einer Stunde!»

Für die Arbeitsgruppe zwei lautete der Befehl, sich durch den Schwarzwald in Richtung Alpenfestung abzusetzen.

In der Schule wimmelte es wie in einem Ameisenhaufen. Jeder suchte seine Habseligkeiten zusammen. Tornister wurden gepackt, Decken und Zeltbahnen gerollt. Organisierte Panzerfäuste und ein paar Karabiner tauchten aus Verstecken auf, um mitgenommen zu werden. Was nicht lebenswichtig war, wurde zurückgelassen. Marschverpflegung wurde in Tüten ausgegeben.

Die Spannung der letzten Tage löste sich und wich einer erregten Geschäftigkeit. Nun war es soweit. Man durfte losmarschieren – wenn auch nach rückwärts, das störte keinen. Es ging ja in die Alpenfestung, in eine vorbereitete Verteidigungsstellung. Sie wurden gebraucht. Dort würde man sie einsetzen. Dort würde die Entscheidung fallen!

Die vier Arrestanten und ihre Probleme waren vergessen. Jeder hielt es für selbstverständlich, daß sie ihre Sachen packten und auch auf dem dunklen Hof antraten. Es wurde nicht mehr viel gefragt, es gab keine Ansprachen und Anweisungen. Der Feldmeister befahl den Abmarsch und setzte sich mit den Unterführern an die Spitze.

In lockerer Formation ging es auf der Straße den Bergen zu. Man redete wenig. Hinter ihnen, von der Rheinebene her, war Geschützdonner zu hören. Hin und wieder mußte einer austreten.

Ehe es hell wurde, hatten sich Max Rothacker, Beppo Braun, Walter Jendrich und Werner Drews in die Büsche geschlagen. Auf Schleichwegen kehrten sie zurück und schlossen sich einem versprengten Haufen an, der vorwiegend aus Zollgrenzschutzangehörigen bestand. Man fragte nicht viel. Der Kompanieführer sah in den Jungen eine willkommene Verstärkung. Er ließ ihnen Gewehre geben und teilte sie verschiedenen Zügen als Melder zu.

Walter und Beppo kamen zum Zug Becker. Und als sie wenig später ihr erstes Kochgeschirr mit Erbsensuppe in den Händen hielten, fühlten sie sich geborgen und am Ziel ihrer Wünsche.

> «. . . im Felde, da ist der Mann noch was wert,
> da wird ihm das Herz noch gewogen . . .»

Bei Schiller hört sich das schön an. Die Wirklichkeit war anders. Bisher hatten sie ein geordnetes, beinahe geregeltes Leben geführt. Der Dienst war eingeteilt, zu bestimmten Zeiten bekam man zu essen, und nachts hatte man ein Dach über dem Kopf und lag in einem richtigen Bett.

Jetzt waren sie Soldaten im Einsatz. Niemand wußte, was die nächste Stunde brachte, wann es etwas zu essen gab und wo man nachts unterkriechen konnte. Es gab keine Möglichkeit mehr, sich zurückzuziehen, ein Buch zu lesen oder sich zu waschen, wenn man das Bedürfnis hatte. Selbst Gespräche verstummten. Die Sinne waren hellwach, waren auf Urinstinkte programmiert: das Leben zu erhalten, Gefahren rechtzeitig zu erkennen und ihnen zu begegnen. So mußten in grauer Vorzeit die Höhlenmenschen gelebt haben, die Neandertaler, die Jäger und Sammler. Man lag auf der Lauer, wenn man nicht marschierte, lernte jede kurze Pause zu einem erholsamen Schlaf zu nutzen, der nicht nur der Nacht vorbehalten war. Der Krieg fand auch bei Dunkelheit statt.

«Nu hau orntlich räin, Jungchen!» sagte der alte Sanitäter in breitem ostpreußischem Dialekt. «Das Ässen is das äinzige Vergnijen im Krieje. Viel mehr is nich. Un lange wird das nu nich mehr jehn, dann hamse uns alle am Arsche, aber mächtich.»

Das Essen bei der Truppe war ordentlich. Es gab Fleisch und Wurst in Büchsen. Nur Brot war rar. Neu für die Jungen waren die, wenn auch seltenen, Zuteilungen von Schnaps und Zigaretten. Die tauschten sie meist gegen etwas Eßbares ein.

Sie waren etwa zwei Tage bei der Truppe, als der erste Einsatzbefehl kam. In der Nähe ihrer alten Schulunterkunft sollten sie eine Kreuzung sichern. Sie schulterten die Panzerfäuste und marschierten los. An den Fenstern der Häuser im Randgebiet sahen sie besorgte Gesichter. Ab und zu winkte ihnen ein Mädchen zu. Sie grüßten zurück, und ihr Schritt wurde energischer. Es war ein stolzes Gefühl, als Verteidiger des Vaterlandes gebraucht zu werden.

«Wir gehen noch ein Stück weiter», sagte Max Rothacker, als sie die Kreuzung erreicht hatten. «Hier gibt es keine Deckung. Unterhalb des Schießstandes ist es besser.» Keiner widersprach.

Sie marschierten noch fünfzig Meter. Nur an der rechten Straßenseite standen Häuser. Die linke Seite wurde durch eine steile Anhöhe mit Büschen und Bäumen begrenzt. Jeder suchte sich eine Stelle mit Blickrichtung auf die Straße. Sie blieben dicht beieinander, obwohl sie wußten, daß es militärisch sinnvoller gewesen wäre, die feindlichen Panzer von verschiedenen Stellungen aus zu bekämpfen.

Das war es ja gerade. Die Panzer! Man hörte sie von der anderen Stadtseite näher rollen. Das Kettengerassel und das dumpfe Dröhnen der starken Motoren ließen sie beklommen und wider alle Vernunft zusammenrücken.

Rechts hinter der Kreuzung im Wald wurde geschossen. Die schnelle Schußfolge des MG 42 war gut von dem langsam tuckernden, überschweren Maschinengewehr der Franzosen zu unterscheiden.

Mit eingezogenen Köpfen hockten sie im Gebüsch und malten sich aus, was sein würde, wenn unten auf der Straße der erste Panzer auftauchte.

«Wie lange müssen wir hier eigentlich bleiben?» fragte Beppo Braun und versuchte, seiner Stimme einen unbefangenen Klang zu geben.

«Der Befehl lautet, bis zum Einbruch der Dunkelheit», sagte Walter Jendrich.

Wie auf Kommando blickten sie himmelwärts, aber es war noch taghell.

«Ich wollte, es wäre Nacht oder die Panzer kämen», sagte Max Rothacker.

«Mensch, mal den Teufel nicht an die Wand!» entgegnete der kleine Werner Drews ängstlich.

Die Panzer kamen vorläufig nicht. Statt dessen tauchte der Meister aus der gegenüberliegenden Bäckerei auf. Er trat aus dem Tor und blickte sich nach allen Seiten um. Dann lief er über die Straße, ein Stück den Hang hoch, direkt auf die Jungen zu.

«Seid ihr verrückt geworden?» keuchte er. «Macht, daß ihr weiterkommt. In spätestens zehn Minuten sind die Franzosen da. Dann geht's euch schlecht!»

«Wie weit sind sie denn schon, Herr Berger?» fragte Werner

Drews, sichtlich froh, ein bekanntes Gesicht zu sehen. «Gibt's was Neues?»

Sie kannten den Bäcker und wußten auch, daß Franz Berger nicht zu den Freunden des Regimes gehörte. Jeder, der mit einem forschen: «Heil Hitler!» seinen Laden betrat, den grüßte er mit einem betonten: «Grüß Gott!» Viele verwunderten sich, daß man ihn noch nicht «abgeholt» hatte. Andere behaupteten, daß die Parteibonzen den jähzornigen Bäcker nicht reizen wollten und ungeschoren ließen, weil er zuviel von ihnen wußte.

Franz Berger überhörte Drews' Frage und humpelte auf Max Rothacker zu, den er erregt am Jackenaufschlag packte. «Ihr Idioten, ihr hirnverbrannten! Wenn ihr nicht sofort abhaut, passiert was!» Er gab Max Rothacker einen Stoß, daß er zurücktaumelte. «Denkt ihr vielleicht, wir lassen uns knapp vor Torschluß von euch Strolchen alles kaputtschießen? Jetzt ist Schluß. Ihr habt ausgeschossen. Los, Abmarsch!»

Rothacker faßte sich schnell. «Das machen Sie nicht noch mal!» Er war außer sich und hob den Karabiner. «Wir haben einen Befehl, verstanden! Wir bleiben hier, und Sie verschwinden, husch!» Er verfiel ganz ungewollt in seinen HJ-Führer-Tonfall. «Kehrt marsch, oder ich knall Ihnen eine vor den Latz!»

Berger schnappte nach Luft. «Du willst mir drohen, du Rotzer? Ich polier dir die Fresse ...» Er hinkte auf Rothacker zu und versuchte, das Gewehr am Lauf zu packen. Da löste sich der Schuß.

Alle fuhren erschreckt zusammen. Sie sahen, wie Franz Berger die Augen verdrehte und sich, beide Hände vor den Leib gepreßt, zusammenkrümmte. Dann stieß er einen langgezogenen, qualvollen Schrei aus. Er taumelte vorwärts und schlug mit dem Gesicht ins Gebüsch.

Das alles hatte sich in rasender Schnelligkeit abgespielt, während drüben am Wald weitergeschossen wurde und keine dreihundert Meter entfernt Panzer heranrückten. Die Jungen starrten mit aufgerissenen Augen auf die leblose

Gestalt am Boden. Beppo Braun war es schließlich, der zu dem Liegenden hintappte, ihn scheu am Arm faßte und rüttelte.

Berger regte sich nicht. Beppo wälzte ihn auf den Rücken. Dann stolperte er zurück, mühsam das Schluchzen unterdrückend. «Er ist tot», lallte er. «Du hast ihn erschossen, Max. Das war doch nicht ... das hättest du doch nicht müssen ...»

Max Rothacker war kalkweiß im Gesicht. Er stierte auf den Klumpfuß zwischen den Zweigen und schien nicht zu begreifen. Mit einemmal kam Bewegung in ihn, und er rannte einfach los.

Die anderen sahen es. Wie automatisch rafften sie ihre Sachen zusammen und folgten ihm. Vergessen war der Befehl. Nur ein Gedanke beherrschte sie: Weg, weg!

Hinter sich hörten sie entsetzte, aufgeregte Stimmen und die heulenden Aufschreie einer Frau. Aber sie drehten sich nicht um.

Walter Jendrich setzte Fuß vor Fuß. Der breite Rücken des Zugführers Becker nahm ihm die Sicht nach vorn. Vor ihm baumelte die feldgraue Gasmaskenbüchse im Kreuz des Vordermannes.

Die Straße führte in Windungen bergauf. Die Sonne schien matt, Vögel zwitscherten. An den Wald- und Wiesenhängen dämmerten breitbedachte Schwarzwaldhäuser vor sich hin – friedlich, idyllisch, so, als wäre die Welt in Ordnung. Hinter ihm marschierte der ostpreußische Sanitäter, der sich mit einem der Gruppenführer unterhielt. «Wird noch ein paar Tage dauern, zwäi oder dräi, dann sind wir allesamt PGs. Das hat nich mal der Adolf färtichjäbracht.»

«Du hast sie wohl nicht alle», erwiderte der andere. «PGs! Wer wird denn jetzt noch Parteigenosse werden!»

«Näi, du Blitzmärker, ich mäine doch das PG, das wo sie auf'n Buckel pinseln. Das häißt nämlich Prißonnjeh und Gäähre, was bekanntlich Kriejsjefangener häißt.»

«Kriegsgefangenschaft? Nicht mit mir. Lieber beiß ich ins Gras. Man weiß doch, was die mit unsereinem vorhaben. Die machen dich zur Sau. Da wirst du kastriert.»

«Da haste ja nuscht zu befirchten.»

«Wieso?»

«Nu, die wär'n sich schwertun, bäi dir was zu finden, was sich kastrieren läßt.»

«Blöder Hund! Wohl noch nie was vom Morgenthau-Plan gehört, wie?»

«Näi. Klingt aber nich schlächt!»

«Irrtum, gewaltiger Irrtum. Wenn die den Krieg gewinnen, wollen sie Deutschland von der Landkarte verschwinden lassen. Wir dürfen dann für die anderen schuften und für uns bloß noch Kartoffeln anbauen, solange es uns noch gibt. Alle Männer werden nämlich – zack, verstehst du? Dann sind wir in siebzig, achtzig Jahren ausgestorben.»

«Na, so was! Aber das wird der Führer nich zulassen. Wo der doch aus uns 'ne ganz neue Rasse hat machen wollen. Lauter SS-Deppe, mit blonde Haare und blaue Augen und Stroh im Hirn und mit 'ner Schnauze bis an die Ohren, damit sie bässer Häil Hitler brüllen kennen.»

Walter Jendrich hörte es und wunderte sich, wie gleichgültig er blieb. Noch vor wenigen Tagen hätten ihn solche Worte empört und tief getroffen. Aber das Gestern lag so weit zurück. Fast tausend Jahre. Er blickte auf die andere Straßenseite hinüber, zu Max Rothacker. Der forsche Sohn des Ortsgruppenleiters trottete stumpfsinnig und ergeben dahin. Sein Gesicht war aschgrau und wie versteinert. Der Tod des Bäckermeisters hatte ihm einen Schock versetzt, von dem er sich nicht mehr erholt hatte. Hinzu kam ein Gefühl der Hoffnungslosigkeit, das sie alle auf einmal angefallen hatte wie ein wildes Tier.

Von irgendwoher wehte der Wind Pulvergeruch heran. Auf der Straße, zwischen den Marschreihen, mühten sich Fahrzeuge bergan. Bagagewagen, mit Pferden bespannt, die den Nachschub transportierten und auf die sie auch ihre Tornister geworfen hatten. Dazwischen Geschütze, von Ochsen gezogen. Ungeduldige Soldaten und ein paar Bauern aus der Umgebung hielten sie mit Schreien und Stockschlägen in Bewegung. Trotzdem kam es immer wieder zu Stauungen, wenn ein Seilzug riß oder eine Lafette mit einem Rad von der Straße rutschte und den Hang hinabzustürzen drohte. Lkws sah man keine mehr. Sie waren im Tal zurückgeblieben. Es gab kein Benzin mehr.

Eine ganze Division war auf dem Rückzug. Überall an Kreuzungen und Abzweigungen gab es Hinweisschilder, auf Holzschindeln geschriebene taktische Zeichen und Ziffern, die den Weg zu den Gefechtsständen von Bataillonen und Kompanien wiesen.

Am späten Nachmittag geriet die Kolonne ins Stocken. Sie hatte gerade einen Weiler mit einsamen Gehöften passiert, da fielen weiter südlich Schüsse. Das Feuer kam von den bewaldeten Höhen. Zunächst war es vereinzeltes Gewehrfeuer. Doch dann wurde es heftig und kam immer näher. Auch ein Maschinengewehr ratterte. Das Knallen schallte als Echo von den Bergen zurück.

An der nächsten Straßenbiegung tauchte der erste Verwundete auf. Er saß auf einem alten Fahrrad, das verletzte verbundene Bein auf die Lenkstange gelehnt. Gleich drei Landser stützten und schoben ihn. Der Mann war blaß, machte aber einen äußerst zufriedenen Eindruck.

«Für mich ist der Krieg zu Ende!» rief er, als er an Walter Jendrich und seinen Kameraden vorüberkam. Und fast schien es, als gäbe es nicht wenige, die ihn um seine Verwundung beneideten. Daran, daß sich gleich drei Unverletzte um ihn bemühten, um auf diese Weise dem Gefecht zu entkommen, nahm niemand Anstoß. Noch vor einem Jahr wäre das anders gewesen. Doch in diesem Krieg hatte sich so vieles geändert, manches mutete geradezu grotesk an.

Vergangene Nacht hatten sie knapp tausend Meter von den Franzosen entfernt kampiert, in Ställen und Scheunen eines kleinen Dorfes. Der Feind hatte sich im Nachbarort niedergelassen. Am Morgen tauchte ein etwa achtjähriger Junge auf und berichtete ihnen, daß die Franzosen Reis und Hühnerfleisch gegessen hätten. Auch schwarze Soldaten seien darunter. Kurz darauf machte sich Zugführer Becker als Ein-Mann-Spähtrupp auf den Weg. Er ging querfeldein auf das besetzte Dorf zu. Es dauerte nicht lange, da hörte man ein paar Schüsse aus dem Sturmgewehr Beckers. Da liefen sie los. Doch der Zugführer kam ihnen lachend entgegen, das Gewehr geschultert, so als käme er gerade von einer Fasanenjagd. Er habe auf einen Marokkaner geschossen, erzählte er, der auf einem Rübenfeld seine Notdurft verrichtete. Wahrscheinlich habe er ihn verwundet. Doch dann hätte der Franzose Verstärkung bekommen, und da habe er sich eilends zurückgezogen.

Eine Stunde später waren ihnen die Franzosen dicht auf den Fersen. In einem Hohlweg ging eine 2-Zentimeter-Vierlingsflak in Stellung, um ihnen den Rückzug zu decken. Ein Feldgeistlicher dirigierte das Geschütz in aller Seelenruhe und ließ kurz danach feuern. Walter und seine Freunde wunderten sich darüber. Was den wohl dazu bewogen hätte, zu kämpfen?

Das Schießen verstärkte sich.

Der Zugführer kam von der Kompanie zurück. «Zug Becker sammeln!» Der Befehl klang in Walter Jendrichs Ohren wie eine Verurteilung.

Nun waren sie dran. Sie würden zum Gegenstoß angesetzt. Becker wies in dürren Worten seine Gruppenführer ein und befahl dann: «Folgen!»

Sie nahmen die Gewehre von den Schultern und luden durch. Dann ging es auf die Straße. Vorbei an mitleidig feixenden Landsern, die geduckt an der Böschung verharrten. Kein Zuruf, nichts. Aber ihre Blicke waren beredter als Worte. «Arme Schweine!» sagten sie.

Kurz vor der Straßenstelle, die unter Feuer lag, ließ Becker halten. Nur vereinzelt waren hier noch Soldaten zu sehen. Die, die da waren, hatten die Nasen im Dreck. Ein zerschrammter und durchlöcherter Kübelwagen hing zwischen den Bäumen am rechten Rand. Die Franzosen hatten sich auf der Höhe zur Linken verschanzt und hielten etwa fünfzig Meter Straße unter Beschuß.

«Zug Becker, auf, marsch-marsch!»

Mit erhobener Maschinenpistole hastete der Zugführer die Anhöhe hinauf. Walter Jendrich und Max Rothacker folgten dicht auf.

«Abstand halten!» brüllte Becker in das Krachen der Schüsse hinein, die von der Anhöhe abgefeuert wurden. «Auseinanderziehen und folgen! Folgen!» Er winkte mit der MP, als habe er eine ganze Armee ins Feuer zu schicken.

Aber da waren nur Rothacker und Jendrich. Die anderen waren von der Bildfläche verschwunden. Irgendwo in Deckung gegangen. Hatten sich unsichtbar gemacht.

Es begann bereits zu dämmern. Beckers Maschinenpistole knatterte und spuckte kleine Flämmchen aus. Walter Jendrich sah es. Ein paar Meter seitlich hinter dem Zugführer ging er hinter einem Baum in Stellung und schoß ungezielt in Richtung der Höhenspitze. Seine Hände zitterten. Beim Durchladen spürte er, wie sein Herz klopfte, und ein lähmendes Gefühl überkam ihn plötzlich. Ein Gefühl, das ihn daran hinderte, sich aufzurichten, ihn im Gegenteil drängte, sich flach auf den Boden zu legen – sich in die Erde zu verkriechen. Jetzt zu Hause sein! Was hätte er darum gegeben.

Die Franzosen feuerten wie wild. Jedes Geschoß, das über ihn hinwegzischte, ließ Walter zusammenfahren. Er preßte sich an den Waldboden.

Die Stimme des Zugführers verlor sich im Gefechtslärm. «Weiter! Auf, marsch-marsch!»

Wie von fremden Fäusten hochgezogen, erhob sich Walter und folgte dem Zugführer. Einige Meter entfernt sah er Max Rothacker. Weiter ging es die Anhöhe hinauf, stolpernd, keuchend, sich hinwerfend, manchmal schießend.

Hinter einem Felsbrocken zog Becker zwei Landser hervor, die sich dort verkrochen hatten. Waffenlos. «Wir sind nachtblind», hörte Walter den einen sagen. «Scheißkerle!»

schnaubte der Zugführer und keuchte weiter.

Inzwischen war es dunkel geworden. Zum Bergkamm konnte es nicht mehr weit sein. Das MG-Feuer von oben klang laut und nah. Waren es noch hundert, noch fünfzig Meter bis zum Feind?

Walter Jendrich preßte sich in weiche Tannennadeln. Er hatte den Zugführer aus den Augen verloren. Ein Stück weiter weg hörte er Beckers Stimme. «Wo seid ihr? Jendrich! Hierher!»

Diesmal war die Angst stärker als der blinde Gehorsam. Walter Jendrich wollte nicht aufstehen, wollte nicht sterben. Er biß die Zähne zusammen und hätte sich am liebsten die Ohren zugehalten. Weiter unten schrie einer jämmerlich und durchdringend nach dem Sanitäter. Die Panik verdichtete sich zu Schreckensbildern: vorpreschende Marokkaner, das Messer zwischen den Zähnen. Was tun? Schießen oder sich ergeben?

Etwas kullerte den Hang herunter direkt auf ihn zu. Eine Handgranate? Er zog den Kopf ein, glaubte die Detonation zu hören. Aber es war nur sein Blut, das in den Schläfen pochte.

«Herrgott, wenn es dich gibt, hilf mir! Gib, daß ich heil hier herauskomme. Und ich will in meinem Leben nie mehr etwas erbitten.»

Nein, nicht sich ergeben. Wie soll man das in der Dunkelheit? Sie erschrecken und feuern? Er wollte nicht sterben. Nicht so. Lieber sich selber erschießen. Wenn sie kämen, würde er sich eine Kugel in den Kopf jagen. Er war kein Held. Er hatte es nur nicht gewußt. Vielleicht wollte er es auch nicht wahrhaben. Jetzt mußte er es sich eingestehen. War es schlimm, kein Held zu sein? Konnte man mit dieser Erkenntnis leben? Leben – ja, das ist es!

Er spürte eine heiße Welle, die ihn plötzlich erfaßte. Wie hatte er sich nur wünschen können, an diesem Krieg teilzunehmen? Was ging ihn dieser verfluchte Krieg an? Lieber das erbärmlichste Leben führen, als sterben zu müssen, und sei es als

Held. Was waren sie für Idioten gewesen, sich freiwillig auf dieses mörderische Abenteuer einzulassen! Wofür eigentlich? Wem nützte es, wenn sie vor die Hunde gingen? Dem Vaterland? Dem Volk? – Darauf gab es keine Antwort. Er – Walter Jendrich – meldete sich hiermit ab aus dem Heer der Helden. Er war keiner.

Er hatte sich für das Leben entschieden. Und instinktiv tat er nun alles, um es zu erhalten. Vorsichtig, fest entschlossen, sich aus der gefährlichen Lage zu retten, arbeitete er sich dicht am Boden bergab, hielt sich rechts, weil dort, wie ihm anfangs aufgefallen war, der Hang zahlreiche Bodenwellen aufwies und gute Deckung bot.

Die Franzosen feuerten nicht mehr so heftig. Vielleicht bildete es sich Walter auch nur ein, da er mit jeder Rückwärtsbewegung mehr aus der Schußlinie wich. Der Himmel zeigte nur noch eine Spur von Helligkeit. Walter konnte die Richtung nicht verfehlen. Er mußte schräg nach unten, weg von der Gefahr, von der Angst. Fast wäre er an dem ostpreußischen Sanitäter vorbeigerutscht, ohne ihn zu sehen. Aber dann erkannte er die helle Armbinde und daß der Mann zusammengekauert hantierte.

Walter Jendrich tastete sich zu ihm. «Kann ich helfen?» flüsterte er, eigentlich nur, um etwas zu sagen und sich bemerkbar zu machen.

«Da is nuscht mehr zu machen», knurrte der Sani, ohne sich umzudrehen. «Der is hin. 's is äiner von den Jungchen, wo sie Max auf ihm jesacht ham. Max Rothacker, glaub ich, häißt er.»

Es stimmte. Walter zwang sich, die Hand auszustrecken, erfühlte die Uniform – und zuckte zurück. An der Stelle, wo der Kopf sein sollte, war nichts. Nur eine warme, breiige Masse, in die Walter faßte. Einen Augenblick lang waren ihm die Sinne wie vernebelt. Dann würgte es ihn so heftig, daß er fürchtete, zu ersticken.

Das Schießen hatte aufgehört. Offenbar hatten die Franzosen ihre Stellung geräumt.

Der Sanitäter brachte Walter auf die Straße hinunter, wo sich die Versprengten sammelten. Er und Walter waren die einzigen ihrer Kompanie, die sich an dieser Stelle einfanden. Es war ein buntgewürfelter Haufen aus regulärer Infanterie, Polizeitruppe und Volkssturm in der Stärke eines Zuges. Als Ranghöchster erwies sich ein Polizeioffizier, der nach anfänglichem Zögern das Kommando übernahm. Man stellte fest, daß der Feind auf der Schwarzwaldhochstraße vorgestoßen war und offenbar die ganze Höhenkette besetzt hielt. Deshalb beschloß man, die Straße zu meiden und sich auf Schleichpfaden nach Südosten abzusetzen. Ein ortskundiger Bauer wurde von einem naheliegenden Gehöft geholt. Er erklärte sich bereit, die Truppe zu führen. Es war weit nach Mitternacht, als man endlich aufbrach.

All diese Aktivitäten hatte Walter Jendrich überhaupt nicht wahrgenommen. Abwesend hockte er am Straßenrand. Immer wieder strich er mit der blutverkrusteten Hand durch das Gras, so als könnte er an den taufrischen Halmen all das abwischen, was geschehen war.

Der Krieg verändert den Menschen körperlich und seelisch. Der Körper stellt sich auf Strapazen, Hunger und Schlaflosigkeit ein. Die Psyche entwickelt ungeahnte Abwehrkräfte. Es ist für Millionen eine Frage des Überlebens.

Auch Walter paßte sich den Notwendigkeiten an. Er hörte auf zu grübeln, über die Sinnlosigkeit des Sterbens nachzudenken. Gegen alle Widrigkeiten von außen schirmte er sich ab, indem er sich ganz auf sein Ziel konzentrierte – zu überleben. Er orientierte sich an den älteren, erfahrenen Soldaten. Die hatten einen sechsten Sinn dafür, wo es etwas zu essen gab und wie man unnötigen Gefahren aus dem Weg ging. Ansonsten hielt er die Augen offen und sah die Dinge realistisch.

Auf einer Waldwiese hingen am untersten Ast einer Eiche die leblosen Körper von zwei Volkssturmmännern. Mit einfachen Wäscheseilen hatte man sie erhängt. Auf der Brust hatte jeder von ihnen ein Schild mit der Aufschrift: «Ich bin ein

Feigling und habe meine Kameraden im Stich gelassen. Spuckt vor mir aus!»

Der Polizeioffizier und sein Zug drückten sich rasch und schweigend an den Gehenkten vorbei.

«Das muß die ÄsÄs jewesen sein», meinte der Sanitäter zu Walter Jendrich. «In Litauen sind wir mal durch 'ne janze Allee mit solchen Aufjeknüpften marschiert. Da is an jedem Baum äiner jehangen. Und da is auch vorher die ÄsÄs durchjekommen. Passen wir auf, daß wir den Kärlen nich in die Pfoten laufen.»

Wenig später stießen sie dennoch auf zwei SS-Leute. Sie standen im Gebüsch und beobachteten mit Feldstechern ein Dörfchen, das unten im Tal lag. Der eine von ihnen, ein Scharführer, kam heran und musterte die Gruppe der Versprengten. Eine Maschinenpistole über der Schulter und eine Zigarette im Mundwinkel, wirkte er wie einer, dem Töten so selbstverständlich geworden war wie Holzspalten oder Schraubenanziehen. «He, du!» wandte er sich an Walter Jendrich. «Gehörst du etwa auch zu diesem Rentnerverein? Komm mit uns! Bei uns verkalkst du garantiert nicht. Wir jagen da unten gleich 'ne Brücke in die Luft, und dann hauen wir ab zu unserem Haufen.»

Walter blieb einen Moment unschlüssig stehen.

Der andere spuckte die Kippe aus. «Jungens wie du sind bei uns besser aufgehoben als bei jedem anderen Verein. Mit euch ist wenigstens noch was los. Komm zu uns! Die Verpflegung ist übrigens erstklassig.»

Es war der Sanitäter, der Walter am Ärmel weiterzog. «Ich bleibe lieber bei meinen Kameraden», sagte Walter Jendrich im Weitergehen. «Es sind da noch zwei andere, wir gehören zusammen.»

Der Scharführer machte auf dem Absatz kehrt und murmelte etwas in den Bart, das sich anhörte wie: «Haut doch ab, ihr Hampelmänner.»

«Danke däinem Schöpfer, Jungchen», meinte der Sani, «daß der Kälch ist noch äinmal vorieberjegangen. Mäistens sind die

Lorbasse nich so zimperlich, wenn sie äinen kaschen wollen.»

Im Gänsemarsch ging es zwei Tage lang durch die Wälder. Die Schönheit der Landschaft wurde ihnen nicht bewußt, weil hinter jedem Hügel, aus jeder Schonung unversehens der Feind auftauchen konnte. Der Polizeioffizier hatte etwas von einem Kessel verlauten lassen, in dem sie sich befanden und aus dem es auszubrechen galt.

Müde und zerschlagen erreichte der zusammengewürfelte Zug am Abend des zweiten Tages einen abgelegenen Kurort. Unter den Wehrmachtseinheiten entdeckten Walter Jendrich und der ostpreußische Sanitäter ihre verlorene Gruppe. Die Kameraden begrüßten sie mit solcher Herzlichkeit, als wären sie jahrelang weggewesen. Beppo Braun und Werner Drews nahmen Walter in die Mitte und händigten ihm seine Rationen aus, die sie für ihn empfangen hatten: Schweinefleisch in Dosen, Zwieback und Zigaretten. Walter fühlte sich wie der verlorene Sohn, der in den Schoß der Familie zurückgekehrt war.

Auch Leutnant Becker lächelte ihm zu. «Ich habe dich noch mindestens zwei Stunden lang gesucht, nachdem es den Rothacker erwischt hatte», sagte er und legte ihm die Hand auf die Schulter. «Ich bin froh, daß du wieder da bist.»

Walter Jendrich antwortete nicht. Er erkannte schlagartig, daß man aus dem Krieg nicht einfach aussteigen konnte wie aus einem haltenden Zug. Auch in dieser verworrenen, ausweglosen Lage gab es Menschen, die sich für ihre Nächsten verantwortlich fühlten. Niemand hatte dem Zugführer befohlen, zwei Stunden lang nach ihm zu suchen.

«Wir haben die Franzosen auf der Höhe zurückgeworfen. Von unserem Zug fehlen jetzt noch sieben Mann. Am besten legt ihr euch gleich schlafen. Die Franzosen haben uns in der Zange. Morgen früh werden wir ausbrechen.»

«Wenn ich das jewußt hätte . . .», seufzte der Sanitäter, aber er sprach den Satz nicht zu Ende. Die Geborgenheit innerhalb der Einheit wog für den erfahrenen Frontsoldaten schwerer als die Verlockung, abzuhauen und der Gefahr zu entrinnen, der sie offensichtlich entgegengingen.

Um zwei Uhr nachts wurde Alarm gegeben. Schlaftrunken torkelten sie aus den Notunterkünften. Es war stockdunkel. Die Gruppenführer riefen ihre Leute zusammen. Irgendwo leuchtete eine Taschenlampe auf.

«Licht aus! Idiot!» rief es aus mehreren Richtungen. Nach einer knappen Stunde Marsch bezog die Kompanie Stellung in einem niederen Gehölz neben der Straße. Die Männer kauerten fröstelnd am Boden und harrten der Dinge, die da kommen sollten. Ein paar Altgediente, die nichts mehr erschüttern konnte, begannen bereits wieder zu schnarchen.

Gegen vier Uhr morgens wurde Schnaps ausgeschenkt. Ein Viertelliter pro Mann. Gegen die Kälte, wie es hieß.

«Sieht übel aus», meinte ein Obergefreiter. «Wenn sie dir um vier Schnaps spendieren, dann geht spätestens um fünf die Scheiße los.» Er trank in kleinen Schlucken und stöhnte vor Behagen.

Walter Jendrich überlegte, wem er seine Ration schenken sollte. Beppo Braun, der neben ihm hockte, bemerkte es und erklärte: «Schlucken wir das Zeug doch selber. Auf jeden Fall wärmt es.»

«Ich esse lieber was.»

«Essen ist vor 'nem Angriff nicht gut», sagte der Obergefreite. «Wenn du mit vollem Magen 'nen Bauchschuß kriegst, bist du im Eimer, aber hundertprozentig.»

«Laßt euch nicht verrückt machen», beschwichtigte Leutnant Becker. «Der Jankowski muß immer etwas zu unken haben, sonst ist ihm nicht wohl.»

Und der Sanitäter ergänzte: «Der Näidhammel kann nich läiden, wenn 'n anderer was frißt. Aus lauter Angst vor 'nem Bauchschuß wird der noch mal verhungern. Dünn jenuch ist er wahrlich schon.»

«Wenn du nicht Sani wärst», sagte Jankowski grinsend, «würde ich dir jetzt die Knarre um die Ohren schlagen. Aber ich habe keine Lust, wegen Verstümmelung eines unbewaffneten Kameraden in den Bau zu gehen. Gerade jetzt, wo's hier abwechslungsreich wird.»

Die Abwechslung ließ nicht lange auf sich warten. Sie hatten kaum ihren Schnaps getrunken, da setzte das Artilleriefeuer ein. Die schweren Granaten orgelten über sie hinweg und schlugen nicht weit entfernt krachend ein.

Die drei Jungen zuckten unwillkürlich zusammen, obwohl der Alkohol die innere Spannung gelöst hatte. Sie sahen sich nach Deckung um.

Jankowski und auch die meisten anderen blieben anscheinend gelassen und rührten sich nicht von der Stelle. Auch nicht, als eine Granate in bedrohlicher Nähe auf der Straße detonierte.

«Die Armleuchter schießen wieder ohne VB», bemerkte Jankowski ruhig. «Gleich werd ich wild.»

Die Feststellung war nicht gerade tröstlich. Wenn die Artillerie ohne VB schoß, also ohne vorgeschobenen Beobachter, der das Feuer ins Ziel lenkte, konnte es leicht geschehen, daß so ein «Koffer» in den eigenen Reihen landete. Doch unvermittelt hörte das Feuer auf. Es waren nicht mehr als fünfzehn Schuß gewesen. «War das alles?» fragte denn auch der Sanitäter verwundert.

«So ein Blödsinn», schimpfte der Obergefreite. «Die haben wahrscheinlich bloß ein bißchen in ein Dorf reingehalten und die Franzosen aufgeweckt, damit sie uns besser empfangen können. Das ganze Feuerwerk war für die Katz.»

«Man könnte mäinen», sagte der Sani, «die haben bei der Artillerie lauter Dorftrottel anjeställt.»

«Oder ihnen ist die Munition ausgegangen.»

«Langsam geht hier alles aus.»

«Im Arsch sind wir so oder so.»

«Na, denn prost!»

Ein Melder von der Kompanie brachte den Angriffsbefehl. Der Leutnant erhob sich. «Zug Becker fertigmachen!» Die Männer erhoben sich. Gasmaskenbüchsen klapperten. Unterdrücktes Fluchen.

«Wie im Lesebuch», meinte Jankowski. «Angriff im Morgengrauen. Ich wollte, es wäre schon Abend . . .» Im Eilmarsch ging es voran. Der Zug Becker hatte die Spitze übernommen.

Hinter ihnen tappten die Stiefel der marschierenden Kolonnen. Das war nicht nur ihre Kompanie, das war das ganze Bataillon oder mehr. Zu erkennen war nichts. Es war noch zu dunkel, um weiter als zwanzig Schritt zu sehen. Und was vor ihnen lag – gleich würden sie es wissen.

In zwei Reihen, beiderseits der Straße und auseinandergezogen, erreichten sie das nächste Dorf. Zwei, drei Häuser waren von der Artillerie beschossen worden. Schuttqualm hing über den aufgerissenen Mauern. Die Männer hatten den Finger am Abzug – gewärtig, daß jeden Moment der Feind auftauchen konnte. Oder aus dem Hinterhalt, aus den Häusern Schüsse aufpeitschten.

Aber nichts geschah.

Kein Mensch war zu sehen. Waren die Bewohner geflohen? Hockten sie voller Angst in den Kellern? Oder warteten sie ergeben, bis alles vorüber war – so oder so?

Als sie das Dorf durchquert hatten, ging die Knallerei los. Etwa einen Kilometer vor ihnen. Ein sich ständig steigerndes Feuer sämtlicher Infanteriewaffen zerhackte die morgendliche Stille.

«Aufschließen!» befahl Becker und eilte mit langen Schritten voraus.

«Da sind wieder die Spezialisten vom Bataillon Neumann am Werk», hörte Walter Jendrich den Obergefreiten sagen. Es klang sichtlich erleichtert. «Als Vorausabteilung ist auf die Kameraden Verlaß.»

Walter Jendrich spürte, wie das Unbehagen in der Magengegend wich. Er sah zu Beppo Braun und Werner Drews hinüber, die auf der anderen Straßenseite gingen. Sie nickten ihm beide zu. Es war beruhigend, die beiden in der Nähe zu wissen. Sie waren zunächst anderen Zügen zugeteilt gewesen. Doch nachdem Max Rothacker gefallen war, hatten sie es durchgesetzt, zusammenzubleiben.

Walter Jendrich dachte an die letzte Goebbels-Rede. Die Wende des Krieges stünde jetzt bevor, hatte er verkündet. Die neuen Waffen seien einsatzbereit. Er behauptete kühn, die deutschen Divisionen würden in diesen letzten Kampf marschieren wie in einen Gottesdienst. Doch nach Gottesdienst sah das alles nicht aus, was nun Schlag auf Schlag geschah.

Mit einemmal schien es von allen Seiten zu schießen. Das Knattern, Ballern und Knallen gellte in den Ohren, wurde vom Rand des Stahlhelms reflektiert und legte sich um die Köpfe der Soldaten wie eine schmerzende Lärmglocke. Walter Jendrich spürte ein lähmendes Angstgefühl in den Beinen. Doch die Kameraden ringsum, die wie von einem unsichtbaren Motor vorangetrieben wurden, rissen ihn mit sich fort. Sie marschierten durch eine Lindenallee, direkt auf eine kleine Stadt zu. Sie verließen die Chaussee und schlichen im Schutz der Böschung an den ersten villenartigen Häusern vorbei. Schüsse fetzten über sie hinweg, als sie eine Kreuzung erreichten. Gestein splitterte. Befehle wurden gebrüllt.

Ein Feldwebel mit hohen Auszeichnungen auf der Brust kam über die Straße und schwenkte eine MP. Er grinste über das ganze Gesicht und rief ihnen in bayerischem Dialekt zu: «Jetzt pack mer's! Hait hamma an Schneid!» Wenig später war er verschwunden.

Für einen kurzen Augenblick fragte sich Walter Jendrich, wie ein Mensch in dieser Lage grinsen konnte. Alle anderen blickten angespannt, angstvoll und gehetzt unter ihren Helmen hervor. Sie bewegten sich mit der freudlosen Monotonie von Schwerarbeitern, die jeden unbewachten Augenblick nutzten, um ihre zermürbende Tätigkeit zu unterbrechen.

Dann stolperten sie an Hauswänden entlang. Über Tote hinweg, die in immer größerer Zahl auf den Bürgersteigen lagen, je weiter sie in den Stadtkern vorstießen. In geronnenen Blutlachen lagen sie da, die Körper gekrümmt, zerschossen. Es waren deutsche Soldaten.

Mitten auf der Straße stand ein bespanntes Fahrzeug. Die Pferde hingen tot an der aufgestellten Deichsel, als hätten sie die Geschosse im Lauf getroffen.

Sie drückten sich in Häusernischen, aus Fenstern und Kellern wurden sie beschossen. Es war inzwischen so hell geworden, daß jede Bewegung erkennbar war. Walter Jendrich hielt sich dicht hinter dem Leutnant. In einem Vorgarten tauchten zwischen Gebüsch Franzosenhelme und olivgrüne Uniformen auf.

Der Zugführer riß Walter zu Boden. Dann nestelten sie die Eierhandgranaten von den Koppeln. Beinahe gleichzeitig rissen sie die blauen Deckelhütchen mit der Schnur heraus und warfen. An die Hauswand gepreßt hörten sie die platzenden Knallgeräusche kurz hintereinander. Und liefen weiter. Auf einen Platz unter Bäumen zu, in dessen Mitte ein Brunnen stand. Maschinengewehrfeuer bellte auf, und die Geschosse klatschten wie Stockschläge dicht an ihnen vorbei. Hinter dem Brunnen gingen sie in Deckung. Walter Jendrich war schweißüberströmt. Die Lungen pfiffen. Aber die Sinne nahmen es nicht wahr. Sie konzentrierten sich ganz auf das Geschehen ringsum.

In der Straße links stolperten Franzosen aus einem Haus, auf dessen abgeblätterter, fensterloser Kalkwand die Aufschrift: «Möbel-Weik GmbH, Ruf 378» zu lesen war. Schießend zogen sie sich zurück.

Als Beckers MP losknatterte, waren sie bereits hinter der nächsten Ecke verschwunden. Auch Walter Jendrich schoß, konnte aber nicht sehen, ob er getroffen hatte. Intensiver Pulvergeruch breitete sich aus. Und das Schießen aus allen Richtungen ging weiter.

In dem Haus gegenüber wurde ein Fensterladen sacht zurückgeschoben. Walter Jendrich bemerkte es im gleichen Augenblick, als sich Leutnant Becker aufrichtete, um die Leute seines Zuges zu sammeln. Drüben im Fensterkreuz wurde eine Gestalt sichtbar, die hastig eine Waffe in Anschlag brachte. Da drückte Walter Jendrich ab. Deutlich konnte er sehen, wie der Mann am Fenster reglos verharrte, als habe er sich anders besonnen. Dann fiel seine Waffe auf den Bürgersteig hinunter. Er selbst sank zusammen. Seine Arme baumelten über das Fensterbrett, als gehörten sie zu einer Kasperlepuppe.

Walter Jendrich zitterte vor Schreck und Triumph. Er sah zu Leutnant Becker auf. Doch der hatte den Vorfall anscheinend nicht bemerkt. Die Tatsache, einen Menschen erschossen zu haben – das war wie ein Nagel, der einem in die Brust geschlagen wird. Walter hatte keine Zeit für Gewissensbisse. Der Franzose oder Leutnant Becker, dachte er nur flüchtig. Dann zwang ihn die Angst dazu, keinen Augenblick die Gefahr außer acht zu lassen. Noch immer peitschten Schüsse an ihren Köpfen vorbei, noch immer war jedes Heben des Kopfes eine Art russisches Roulett. Das Gefühl, jeden Augenblick selbst eine Kugel abzubekommen, verdrängte alles andere.

Hinter ihnen, jenseits der Straße, hatten sich die Männer des Zuges gesammelt. Sie standen in einer Toreinfahrt und sprangen einzeln über die Straße, als Becker sie heranwinkte.

«Alles folgen!»

Sie stürmten die Straße links entlang. An der Ecke, hinter der die Franzosen vor Minuten verschwunden waren, kamen ihnen bereits deutsche Landser entgegen. Sie nickten sich zu.

«Alles in Ordnung?»

«Wir sind durch.»

«Sind die Franzosen noch da?»

«Wir haben ein paar Gefangene. Die anderen sind abgehauen. Hoffentlich lassen sie sich ein bißchen Zeit, ehe sie mit Verstärkung wiederkommen.»

Erst jetzt fiel den Männern auf, daß nur noch vereinzelt Schüsse fielen. Und die weit entfernt, am anderen Ende der Stadt. Aus den Häusern kamen Leute mit weißen Armbinden. Einige hatten Rotkreuzfähnchen in der Hand, die sie nach allen Seiten schwenkten, wohl um zu zeigen, daß sie an den Kampfhandlungen nicht beteiligt waren. Sie kümmerten sich um die Toten und Verwundeten auf der Straße.

Der Zug Becker sammelte sich beim Brunnen. Es waren zwölf Mann.

«Wo sind die anderen?» fragte der Leutnant.

Einer machte eine umfassende Geste, was wohl heißen sollte: Die liegen alle hier irgendwo.

Da stieß Beppo Braun zu der kleinen Gruppe. Beppos Gesicht war grau und eingefallen. «Werner Drews hat es erwischt!» sagte er leise.

«Was?»

«Der Sani und ich, wir haben ihn ins Lazarett geschafft.»

«Ist es schlimm? Wird er durchkommen?» Walter Jendrich fragte es nicht sehr laut. Vielleicht, weil es ihm falsch erschien, angesichts der vielen Toten und Verwundeten nach einem einzigen zu fragen.

Beppos Antwort war ein Schulterzucken. Dann sagte er scheinbar zusammenhanglos: «Bauchschuß.»

Kurz darauf marschierten sie ab. Die Spuren des Kampfes ringsum waren unverwischt. Ein zerschossenes französisches Panzerfahrzeug stand quer über der Straße. Sie umgingen es zu beiden Seiten. Menschen traten aus den Häusern und winkten den durchmarschierenden Kolonnen zu. Manche verteilten Liebesgaben, Zigaretten oder auch kleine gelbe Äpfel.

«Die armen Schweine», meinte ein Landser, «die denken bestimmt, das ist die große Wende, die Adolf versprochen hat.»

«Wenn man die Gesichter sieht, könnte man direkt glauben, der Krieg sei gewonnen», erwiderte ein anderer. «Die scheinen überhaupt keine Ahnung zu haben, was gespielt wird.»

«Na ja, woher sollen die Leute auch wissen, daß wir hier nur durchstoßen, um aus dem Kessel rauszukommen, daß die Franzosen spätestens in zwei Stunden wieder hier sind.»

«Na und? Ist doch alles scheißegal. Nach uns die Sintflut.»

Walter Jendrich und Beppo Braun spürten die teils mitleidigen, teils bewundernden Blicke, die besonders ihnen und ihrer Jugend galten. Mütter wischten sich Tränen aus den Augen, Hände streckten sich ihnen entgegen. Hände mit Vitaminbonbons und Scho-Ka-Kola. Mit Blumen.

Die beiden Jungen genossen diese Anteilnahme als verdienten Ausgleich für die grausamen und schrecklichen letzten Tage. Für ein paar Minuten waren sie die Helden, die sie in ihren

Jungenträumen immer sein wollten. Das lag lange zurück. In diesen Augenblicken überdeckten flüchtiger Beifall, Süßigkeiten und Blumen die Wirklichkeit.

Ein junges Mädchen drückte ihnen Sträußchen aus Wiesenblumen in die Hand. «Ihr seid großartig», flüsterte sie. «Wir danken euch, und alles Gute!»

Die beiden wurden verlegen, und die Älteren begannen zu lästern.

Dann hatten sie schneller als angenommen den südlichen Stadtrand erreicht. Dort erwartete sie der Sanitäter und reihte sich ein. Die fragenden Blicke der Jungen beantwortete er mit einem Satz: «Als ich wächjegangen bin, hat er noch jelebt.»

Die Straße führte fast schnurgerade durch flaches, offenes Land. Auf ihr schlängelte sich der feldgraue Heerwurm nach Süden. Die erfahrenen Landser blickten besorgt in den blauen, sonnenhellen Himmel und hatten es auf einmal ziemlich eilig. Sie legten noch einen Zahn zu, um schnell an den vielen Bagagefahrzeugen und Geschützzügen vorbeizukommen, die die Mitte der Fahrbahn blockierten. Wo die nun wieder alle so plötzlich hergekommen waren?

Walter Jendrich und Beppo Braun marschierten mittendrin. Ihr Zug war als Spitze abgelöst worden. Sie hatten keine Ahnung, wie viele Einheiten noch vor und hinter ihnen waren.

In der Kolonne entdeckten sie den alten Obergefreiten. Er hatte sich gerade mit einem der Gespannfahrer in den Haaren, weil der ihn nicht aufsitzen ließ. «Ich darf keinen mitfahren lassen», erklärte der Fahrer. «Das ist Befehl. Wer's trotzdem versucht, kriegt meine Peitsche übers Kreuz.»

«Das möchte ich sehen. Eine falsche Bewegung und du hast mein Seitengewehr in deinem Fettwanst, das schwör ich dir, Kamerad!» Er schwang sich in aller Ruhe auf den hinteren Teil des Wagens und machte es sich bequem. Der Fahrer traute sich nicht, mit seiner Peitsche einzugreifen. Er beschränkte sich auf ein paar deftige Flüche. «So was von Drükkebergerei», maulte er. «Hat doch bloß Angst, ein paar Blasen an die Füße zu kriegen.»

Jankowitz lachte höhnisch. «Paß bloß auf, daß du keine Blasen am Arsch kriegst!»

Aber dann stieg er doch wieder vom Wagen ab. Offenbar ging es ihm zu langsam. «Machen wir, daß wir von diesem Sauhaufen hier wegkommen», sagte er zu den Jungen. «Wenn jetzt ein paar Jabos auftauchen, stecken wir mittendrin, und nirgends gibt's Deckung. Auf dieser Straße können sie die ganze Division abmähen.»

Er hatte recht, ein paar Maschinen konnten mit Bomben und Bordwaffen den Heerwurm dezimieren. Zu dritt schlängelten sie sich an den Fahrzeugen vorbei und hatten sie nach einer halben Stunde hinter sich. Noch hundert Schritte trennten sie von einem kleinen Weiler mit drei, vier Häusern zu beiden Seiten der Straße, als tatsächlich Flugzeuge angriffen.

Sie waren plötzlich da. Etwa ein halbes Dutzend Thunderbolts. Sie stießen vom Himmel herab wie Bussarde auf ihre Beute. Einer nach dem anderen, es gab keine Pause. Man konnte den Eindruck gewinnen, als griffen hundert Flugzeuge an. Sie überflogen die Straße in niedriger Höhe, aus allen Rohren feuernd und ihre Bomben abwerfend.

Walter Jendrich nahm wahr, wie sich Soldaten reihenweise rechts und links der Straße in die Wiesen fallen ließen. Er lief weiter, zusammen mit Beppo, dem Obergefreiten und noch ein paar anderen. Sie waren sich einig, daß sie den Weiler erreichen mußten, wenn sie dem Inferno entgehen wollten, das nun hinter ihnen losbrach.

Sie wagten nicht, sich umzusehen. In langen Sätzen rannten sie, was die Lungen hergaben, und warfen sich zu Boden, wenn eine Maschine anflog. Im Aufspringen hörten sie hinter sich die berstenden Einschläge. Splitter flogen durch die Luft. Dazwischen Flüche, Schreckensgebrüll und Schmerzensschreie.

Noch ein paar Meter bis zu den Gehöften. Herrgott hilf! Laß es uns schaffen! Walter keuchte. Zwischen den Häusern bellte eine Vierlingsflak los. Erfolglos. Als wären sie unverwundbar, setzten die Maschinen mit den rot-weiß-blauen Kokarden ihren Angriff planmäßig fort. Sie flogen noch tiefer, feuerten noch heftiger.

«Achtung! Runter!» schrie jemand. Walter Jendrich warf sich auf den Boden. Zugleich sah er, wie Beppo zur Seite gewirbelt wurde, als hätte ihn ein heftiger Windstoß erfaßt. Mit einem Satz hechtete er zu seinem Freund hin. Zu dem, was noch von ihm übriggeblieben war. Die letzte Maschine hatte Beppo im Tiefflug mit einer ganzen Garbe von Geschossen förmlich zerstückelt.

Und wieder ein neuer Anflug. Während sich Walter Jendrich intensiv an den Boden preßte, starrte er mit vor Entsetzen aufgerissenen Augen auf den zerfetzten Körper. Das Bild drehte sich vor seinen Augen. Er spürte, daß Panik über ihm zusammenschlug und ihn hinabzuziehen drohte wie der Strudel, in den er einmal geraten war, als sie auf einer HJ-Fahrt den Oberrhein schwimmend durchqueren mußten.

Doch wie damals wurde ihm auch jetzt mit einemmal bewußt, daß er schwimmen konnte, daß er stärker war. Und daß er nicht untergehen würde. Nun nicht mehr.

Ungeachtet der drohenden Gefahr richtete er sich auf. Er kniete neben dem Leichnam nieder und zwang seinem Gedächtnis jede Einzelheit auf, bannte sie mit der Unbestechlichkeit einer Kamera fest, um sie nie zu vergessen: den klaffenden Schädel, dessen Inhalt der Stahlhelm wie ein Topf aufgefangen hatte, das gekappte Schultergelenk, das zwischen Blut und Nervensträngen durchschimmerte, die seltsam verrenkte Hüfte und dann das überraschend Sinnlose – die völlig unverletzten Beine mit den angestaubten Stiefeln, langgestreckt im Gras, als habe ihr Besitzer sich gerade zu einem kurzen Schlaf niedergelegt. Jede Einzelheit registrierte Walter Jendrich, während die Flugzeugmotoren über ihn hinwegheulten und Bordkanonen Feuer spien. Er kniete und starrte, bis ihm schwarz vor den Augen wurde.

Irgend jemand brüllte ihm etwas ins Ohr und riß ihn hoch.

Dann taumelte er hinter dem Obergefreiten, der ihn am Arm gepackt hielt, die wenigen Schritte auf das Gehöft zu und ließ sich in der kühlen Deckung einer Hausmauer einfach niederfallen.

Er wußte nicht, wie lange er so gelegen hatte. Als er aufsah, fiel ihm als erstes die Stille ringsum auf. Der Fliegerangriff hatte aufgehört. Einige Landser, die diese Hölle überlebt hatten, lagerten ringsum oder stopften, stumpfsinnig kauend, irgend etwas Eßbares in sich hinein.

Leutnant Becker und der Sanitäter tauchten auf und setzten sich neben Walter an die Hauswand. Unter dem Eindruck des Geschehenen schwiegen sie lange Zeit. Bis schließlich der Sani wie zu sich selber zu sprechen begann: «Zwäi Stunden lang hab ich jetzt die armen Kerle verbunden. Nich 'ne äinzije Mullbände hab ich mehr vorrätig. Da wer ich wohl zum Bataillon müssen, ob ich will oder nich. Aber wo is das Schäißbataillon? Käin Mensch wäiß mehr, wo was is. Den Troß von der halben Division ham die zusammengedonnert.»

«Krieg ist Krieg», murmelte Becker und starrte abwesend ins Leere. «Das war schon immer so. Wir haben lange genug gesiegt. Jetzt sind die anderen dran.»

«Beppo Braun ist tot», sagte Walter und wunderte sich selbst, wie ruhig er war. «Damit bin ich der letzte von uns vieren, der noch unverwundet am Leben ist. Und jetzt kommen Sie daher, setzen sich hin, als wäre nichts gewesen und sagen: Krieg ist Krieg. Als ob sich damit alles erklären ließe, was geschehen ist. Ich kann einfach nicht verstehen, wie ein normaler, vernünftiger Mensch sich damit abfinden kann, ohne verrückt zu werden und alles um sich herum kaputtzuschlagen.»

«Du bist janz schön mit 'n Närven fertig, Jungchen», meinte der Sanitäter. «Irjendwo muß ich doch noch 'n paar Tabletten haben . . .» Er suchte in seinen Uniformtaschen.

«Schwer für dich, Jendrich», nahm Becker den Faden wieder auf. «Aber wenn du ehrlich zu dir selber bist, mußt du zugeben, daß du freiwillig hier bist. Niemand hat dich gezwungen, den ganzen Zinnober mitzumachen. Du hättest ebensogut zu Hause bleiben können. Bei uns ist das etwas ganz anderes.»

«Wieso?»

«Ich bin Berufssoldat.» Becker machte eine ausholende Handbewegung. «Und da ist das hier alles inklusive. Damit wir uns recht verstehen: Ich bin kein Nazi. Bei uns ist es nur Familientradition, daß die Söhne Offizier werden. Wenn ich einen anderen Beruf hätte . . . Aber ich bin Soldat. Ich habe nichts anderes gelernt. Dafür muß ich jetzt die Konsequenzen tragen. Wir haben uns einen guten Tag gemacht auf Kosten der anderen, solange es gutging. Ich wäre ein Schwein, wenn ich mich jetzt beklagen würde, wo es andersherum geht. Man muß im Leben für alles bezahlen.»

«Mir ist das zuwider», sagte Walter Jendrich. «Ich mach das nicht mehr länger mit.» Er packte sein Gewehr und schleuderte es angewidert zur Seite.

«Späte Äinsicht is besser als jar käine», bemerkte der Sani und spuckte aus.

«Ich bin Preuße», sagte Arnold Becker. «Ich kann nicht aus meiner Haut. Als Soldat muß ich geradestehen für alles, wofür ich die Verantwortung hatte. Aber die Schweinereien der SS und der Parteibonzen lasse ich mir nicht in die Schuhe schieben.»

«Die werden nich lange fackeln», gab der Sani zu bedenken. «Für die sind wir jetzt alle Nazis. Wir können von Jlück sajen, wenn sie uns nich sofort an die Wand stellen.»

«Erst müssen sie uns haben», knurrte Becker. «Mich kriegen sie nicht. Ich gehe nicht in Gefangenschaft. Lieber mache ich Rabbatz – bis zur letzten Patrone!»

Am Nachmittag kamen die Jabos wieder. Aber da waren Becker und die wenigen Überlebenden seines Zuges ein gutes Stück weiter in einem Wäldchen untergetaucht. Trotzdem kam einer von ihnen ums Leben. Die angreifenden Flieger mochten Truppen in dem Gehölz vermuten oder auch etwas entdeckt haben – sie feuerten mit ihren Bordwaffen blindlings durch die Bäume. So wurde es selbst im Wald schwer, ausreichende Sicherheit zu finden.

Walter Jendrich, der die Gefährlichkeit der Jabos erlebt hatte, kauerte in einem schmalen Bachgraben. Und obwohl das eiskalte Wasser ihn durchnäßte, blieb er liegen, bis die Flugzeuge abdrehten.

Am Abend erreichten sie befehlsgemäß ein Dorf, in dem die Reste der Kompanie lagen. Im Umkreis sammelten sich weitere Truppen. Man sah viele Verwundete mit weißen Verbänden.

Es gab Verpflegung, und es gab neue Gerüchte. Die Franzosen, so hieß es, hätten die zwei angeschlagenen Divisionen erneut eingekesselt. Ein weiterer Ausbruchsversuch sei unvermeidlich. In der Nacht würde es wieder losgehen.

Andere Nachrichten sickerten durch. Amerikaner und Russen seien von Westen und Osten bis an die Elbe vorgestoßen und hätten sich jubelnd vereinigt. Die Schlacht um Berlin sei entbrannt. Der Führer selbst habe sich an die Spitze der Truppen gestellt, um mit der Waffe in der Hand die Reichshauptstadt gegen den Ansturm der bolschewistischen Untermenschen zu verteidigen.

Man ließ sich von diesen Meldungen beeindrucken. Gespräche flammten wieder auf. In den Notquartieren, in Bretterbuden und Ställen wurden Überlegungen angestellt. Historische Vergleiche gezogen. Damals, 1762, als Friedrich der Große militärisch am Ende war, sich angesichts der Übermacht seiner Feinde mit Selbstmordgedanken trug – da geschah das Wunder: Der Tod der russischen Zarin befreite Friedrich von einem Gegner, die Preußen konnten sich erholen und den Krieg siegreich beenden. Warum sollte diesmal nicht Ähnliches geschehen. Es galt doch nur, den westlichen Alliierten die Augen zu öffnen. Ihnen klarzumachen, daß sie Europa opferten, wenn sie die Deutschen weiterhin bekämpften, anstatt gemeinsam mit ihnen den roten Sturm aus dem Osten aufzuhalten. Die abendländische Kultur war in Gefahr. Das mußten die Amis, die Engländer und die Franzosen doch kapieren.

«Zusammen mit den Amerikanern gegen Rußland», sagte Becker, «da würde ich mich sogar freiwillig melden.»

«Warum?» fragte Walter Jendrich, der aus seinen Gedanken aufschreckte. «Glauben Sie denn, daß den Amerikanern Europa mehr am Herzen liegt als den Russen?»

«Das ist mir egal. Auf jeden Fall wären wir mit den Amis besser dran als mit den Russen. Wir wären bei den Siegern, und niemand könnte uns zur Rechenschaft ziehen für das, was wir im Osten angerichtet haben.»

Doch die Westalliierten dachten nicht daran, mit den Deutschen gemeinsame Sache zu machen und gegen ihren Verbündeten im Osten loszuschlagen.

In der Nacht wurde, wie angekündigt, Alarm gegeben. Von allen Seiten her strömten Resteinheiten und sammelten sich auf der Landstraße. Walter Jendrich wunderte sich, wo die Truppen alle herkamen. An die Spitze setzte sich sogar ein Sturmgeschütz. Sein kurzes Geschützrohr war drohend gegen den Feind gerichtet, doch der Motor spielte verrückt. Schon nach kurzer Zeit stotterte er verdrossen, heulte kurz auf und verstummte. Die Menschen funktionierten. Zicke-zacke-juppheidi, schneidig ist die Infanterie.

Erschöpft und ausgelaugt von Strapazen und Angst trotteten die Abteilungen auf der Straße in die Nacht hinaus. Und wieder war die Furcht niederdrückend, in diesen letzten Tagen, vielleicht sogar letzten Stunden eines sinnlos gewordenen Krieges sterben zu müssen.

Niemand schien recht zu wissen, wie und wohin es gehen sollte. Wo der Feind stand und wie die eigene Spitze sich bewegte, ob die Flanken gesichert waren. Man marschierte in der dumpfen Hoffnung, daß alles gutgehen würde, so wie es schon dutzende Male gutgegangen war.

Dennoch – die Instinkte blieben hellwach, witterten Gefahren, noch bevor sie akut wurden. So waren die müden Gestalten blitzartig wie vom Erdboden verschluckt, als der unerwartete Feuerüberfall einsetzte. Man war beiderseits der Straße in Deckung gegangen. Der Beschuß kam aus der Nähe und ziemlich direkt. Der Gegner belegte die Straße mit Maschinengewehrfeuer, Kugeln zischten wie ein Sternenregen dicht über sie hinweg. Keiner wagte es, den Kopf zu heben. Sie lagen eine ganze Weile, ohne sich zu rühren, während der Feuerorkan sich über ihnen austobte.

Leutnant Becker drehte sein Gesicht Walter Jendrich zu, der hinter ihm lag, ohne sich auch nur eine Handbreit aufzurichten.

«Wir müssen weg hier!» rief er. «Von der Straße runter. Wir setzen uns nach rechts ab. Die Böschung hinunter und in den Wald. Ich springe zuerst. Du folgst im Abstand. Weitersagen!»

Walter Jendrich wollte den Befehl weitergeben, aber hinter ihm rührte sich nichts. Wo waren die anderen, der Zug, die Kompanie, das Bataillon?

Vor ihm schnellte Becker in die Höhe, hechtete nach rechts den Abhang hinunter und war verschwunden. Wieder spürte Walter Jendrich die Angst wie ein Gewicht, das ihn niederdrückte. Die Vernunft sagte ihm, daß es Wahnsinn sei, aufzustehen. Konnte man sich aufrichten, ohne eine dieser glühenden Hornissen einzufangen, die zu Tausenden durch die Luft schwirrten? Aber der Gedanke, allein zurückzubleiben, hilflos zusammengeschossen, sterbend im Straßengraben, und am Ende niedergemacht von den Bajonetten der Marokkaner, ließ ihn hochschnellen. Alle Fasern waren darauf gefaßt, getroffen zu werden. Dann kullerte er den Abhang hinunter, landete in einer grasigen Senke und stellte mit Erstaunen fest, daß er unverwundet war. Die Geschosse fauchten höher über ihn hinweg. Durch das Krachen und Pfeifen hörte er Beckers Stimme: «Hierher! Jendrich! He, Jendrich! Hierher!»

Sekunden später hechteten sie dicht hintereinander über die Wiese, das kurze Stück bis zum Wald. Das Feuer konzentrierte sich noch immer unvermindert auf die Straße, als die beiden durch das rettende Gebüsch brachen und unter Bäumen niedersanken. Minutenlang lagen sie und hechelten erschöpft. Dann rannten sie weiter, tasteten sich tiefer in den

Wald hinein, in die dunkle Sicherheit, bis das Schießen nur noch von fern zu hören war. Sie krochen in eine Schonung, zogen die Zeltbahnen über sich, bis die hämmernden Pulse sich beruhigten und sie einschliefen. Morgenkälte weckte sie auf. Ringsum war es so unwirklich still und friedlich, als wäre der gestrige Angriff ein böser Traum gewesen. Die Sonne brach hier und da durch die Baumkronen, und Vögel begannen zu zwitschern. Als Walter Jendrich das Gewehr neben sich liegen sah, packte ihn eine grenzenlose Wut. Er erhob sich, nahm es und schleuderte es mit aller Kraft ins Gebüsch. «Das ist gut», sagte Becker, der zugesehen hatte. «Schmeiß auch die Handgranaten weg und die Patronentaschen!»
Walter Jendrich sah erstaunt auf.
«Nun ja. Der Krieg ist verloren. Wir müssen uns mit dem Gedanken vertraut machen.» Er nahm die Karte zur Hand. «Wir werden uns durchschlagen. Immer in der Deckung der Wälder bleiben und versuchen, in einsamen Bauernhöfen Verpflegung zu bekommen. In Gefangenschaft gehe ich nicht.» Er legte seine Maschinenpistole in ein dichtes Gestrüpp. Die 7,65-Pistole behielt er, ebenso Fernglas und Karte. Die Gasmasken aber warfen sie beide weg.
An Hand der Karte versuchten sie, ihren Standort auszumachen. Becker ortete den Weg, den sie einschlagen wollten. Es überraschte Walter, als der Finger des Zugführers nordwärts über die Karte fuhr. «Nicht nach Süden? Zur Alpenfestung?» fragte Walter.
«Ich bin in der Gegend von Frankfurt zu Hause», sagte Becker. «Probieren wir unser Glück.»
«Jetzt etwas essen», meinte Walter, «das wäre nicht schlecht.» Becker hatte noch eine Büchse mit Schweinefleisch aus der eisernen Ration. Sie aßen es ohne Brot und tranken dazu Wasser aus ihren Feldflaschen. Dann brachen sie auf.
Am Waldrand hob Becker seinen Feldstecher und suchte die Gegend ab. Dann reichte er ihn Walter. «Aussichtslos, Anschluß an eine Einheit zu finden.» Damit beruhigte er sein Gewissen.

Walter Jendrich schraubte das Glas wie ein alter Hase. Zur Linken ging französische Artillerie in Stellung. Vier schwere Geschütze konnte er ausmachen. Rechts lag eine Straße, auf der kleine Fahrzeuge in beiden Richtungen fuhren. Olivfarbene offene Autos, in denen jeweils vier behelmte Gestalten saßen. Helme und Uniformen in derselben Farbe. Franzosen. Der Feind in aller Ruhe auf deutschen Straßen! Niemand hinderte ihn daran.

Vorsichtig und mühsam schlugen sie sich durch die Wälder. Sie schauten und horchten gespannt, jedes gefährliche Geräusch wahrnehmend. Becker und Walter Jendrich kamen nur langsam voran. Sie mieden Straßen und verhielten wie sicherndes Wild an jedem Waldweg, den sie kreuzten. Hinter jedem Baum oder Busch konnte plötzlich eine französische Patrouille auftauchen. Dann gab es nur zwei Möglichkeiten: Gefangenschaft oder Tod. Was man auch immer vorziehen mochte, besser war es, die Entscheidung hinauszuschieben. Darin waren sich beide einig.

Sie froren und hatten Hunger. Am Nachmittag stießen sie auf ein einsames Gehöft am Waldrand. Sie schluckten bei der Vorstellung, vielleicht ein Stück Brot und etwas Warmes zu trinken zu bekommen. Doch das Haus schien verlassen zu sein. An sämtlichen Fenstern waren die Läden geschlossen. Als Becker an der Tür rüttelte, schlug ein Hund an.

«Hallo!» rief Becker. «Jemand im Haus?»

Nach einer Weile knarrte über ihnen eine Dachluke und öffnete sich einen Spaltbreit. «Geht weiter! Haut ab!» hörte man eine gedämpfte männliche Stimme von oben, ohne daß jemand zu sehen war. «Die Franzosen waren schon da. Ich darf nicht aufmachen!»

«Wir wollen nur ein Stück Brot und was zu trinken», sagte Becker, «und verschwinden sofort wieder.»

«Ich darf euch nichts geben», erwiderte der Mann ängstlich. «Ich dürfte nicht einmal mit euch sprechen. Geht weiter, bitte! Die Franzosen suchen hier alles nach Versprengten ab. Und wer deutschen Landsern weiterhilft, wird erschossen.»

Die Luke wurde zugemacht.

«So ein Schweinehund!» Becker konnte seinen Zorn nur mühsam unterdrücken. «Dem sollte man die Bude unter dem Arsch anzünden! Und für so was haben wir nun den Kopf hingehalten.»

Walter Jendrich stimmte zwar zu, überlegte aber gleichzeitig, daß dieser Mann und viele andere den Krieg vielleicht nicht gewollt hatten und schon gar nicht, daß irgendwer den Kopf für sie hinhielt.

Am Abend entdeckten sie ein größeres Anwesen, das in einer weiten Talmulde lag. Um es zu erreichen, mußte man den Wald verlassen. Nicht weit davon entfernt verlief die Landstraße. Sie warteten, bis es dunkel war und drüben am Haus ein mattes Licht aufleuchtete.

«Versuchen wir's», sagte Walter. Er war erschöpft und hoffte, nicht wieder im Freien übernachten zu müssen. «Wenn sie uns schnappen, haben wir eben Pech gehabt.»

Becker lehnte ab. «Mich kriegen sie nicht. Auf eine Stunde kommt es jetzt auch nicht mehr an. Wir warten noch.»

Gegen Mitternacht liefen sie steifgefroren die feuchten Wiesen zum Hof hinunter. Kein Licht war zu sehen, nichts rührte sich. Sie kletterten über Zäune, tasteten sich unter dem weitausladenden Dach an den Wänden entlang. In der Scheune fanden sie eine Leiter und stiegen zum Heuboden hinauf.

«Schlafen wir erst mal», schlug Becker vor. «Morgen früh sehen wir weiter.»

Sie legten sich in das Heu. Ihr Magen knurrte, doch die Wärme um sie herum und das Dach über dem Kopf ließen sie bald einschlafen.

Motorengeräusch und laute Rufe weckten sie auf. Helligkeit drang durch die Dachritzen. Durch einen Spalt blickten sie auf den Hof hinunter und erschraken. Vor dem Wohnhaus parkten mehrere Fahrzeuge, darunter ein Lastwagen. Es wimmelte von olivgrünen Uniformen. Mehrere Franzosen trieben einen Mann mit Kolbenschlägen aus dem Haus, vermutlich den Bauern.

«Wo deutsche Soldatt?» schrien sie ihn an und deuteten auf die Gebäude ringsum. «Da – da – da!»

Der Bauer, ein Mann in mittleren Jahren mit wirrem Haar, nur in Hemd und Hose, zuckte die Schultern und beteuerte verängstigt immer wieder: «Hier nix Soldat – bestimmt!»

Einer schlug ihm die Faust ins Gesicht: «Salaud boche! Nazi! Wo Soldatt?»

«Nix Nazi! Nix Soldat!»

Sie stellten den Mann vor den Lastwagen und entsicherten die Gewehre. Offenbar wollten sie ihn erschießen.

«Ich weiß von keinen Soldaten, um Himmels willen! Wenn ihr mir nicht glaubt, kann ich euch auch nicht helfen!» Der Mann ließ die Arme hängen und ergab sich in sein Schicksal, als er sah, daß die Franzosen ihre Waffen auf ihn richteten.

Doch sie ließen sie schnell wieder sinken, als ihnen einer etwas zurief und auf die Scheune deutete. Sie setzten sich in Bewegung.

«Sie kommen!» keuchte Becker. «Los, nichts wie unter das Heu!»

Walter Jendrich sah, wie Becker die Pistole zog und sich immer tiefer in den Heuberg wühlte. Walter tat es ihm mit panikartiger Geschwindigkeit gleich – nur in einer anderen Ecke. Da stieß er gegen eine Wand aus Holz. Stimmen und Schritte näherten sich. Aus – vorbei. Jeden Moment mußten sie ihn entdecken.

Mit den Händen ertastete er das Holz. Die Latten ließen sich bewegen – beiseite schieben. Mit letzter Anstrengung zwängte sich Walter Jendrich zwischen dem Holz hindurch und schob die Latten wieder zurecht. Er befand sich in einem engen, dunklen Verschlag. Die Luft war stickig, er konnte kaum atmen. Sein Herz schlug so laut, daß er befürchtete, es könnte ihn verraten.

Draußen raschelte das Heu. Die französischen Soldaten verständigten sich durch kurze Zurufe. Mit Gabeln und Gewehrläufen stocherten sie herum, bis sie schließlich fanden, was sie suchten. Ihr Triumphgeschrei vermischte sich mit dem barschen Befehl: «A bas les armes!»

Dann war Beckers Stimme zu hören: «Nicht schießen! Ich ergebe mich!»

Noch eine Weile raschelte das Heu. Dann entfernten sich die Schritte und die Stimmen. Walter spürte, wie die Spannung in ihm wich. Er atmete tief aus, als er unten die Wagen abfahren hörte. Nun hatten sie ihn also doch gefangen, ihn, den preußischen Offizier, der lieber sterben wollte, als sich dem Feind zu ergeben.

Während er überlegte, was er nun tun sollte – allein –, wurde draußen abermals Heu beiseite geschoben, und eine weibliche Stimme sagte: «Du kannst rauskommen. Sie sind weg!»

Es war die Bäuerin, eine Frau mit guten Augen und abgearbeiteten Händen. Sie nahm Walter mit ins Haus und gab ihm Brot und Milch. «Sie haben meinen Mann auch mitgenommen», sagte sie, «weil er nichts verraten wollte. Wir haben euch heute nacht in den Heuschober hinaufklettern sehen. Woher die Franzosen das wußten, kann ich nicht sagen. Wir hatten auch einen Jungen im Feld versteckt und wissen nicht, wo er jetzt ist. Hoffentlich findet er auch jemanden, der ihm weiterhilft. Gott, was für Zeiten gehen wir entgegen!»

Eine halbe Stunde später brach Walter wieder auf. Die Bäuerin zeigte ihm die Richtung und füllte seinen Brotbeutel mit Proviant. «Gott schütze dich, mein Junge! Komm gut nach Hause und gib acht, wenn du die Straße überquerst, daß sie dich nicht erwischen.»

Walter Jendrich war satt, ausgeruht und voller Hoffnung. Er bedankte sich und verließ den Hof. Es war ihm, als würde ein neues Leben vor ihm liegen in einer veränderten Welt.

Vierte Frage

Eines begreife ich nicht: Die Deutschen kämpften für die Nazis bis zur letzten Stunde. Und als der Krieg zu Ende war, verleugneten sie ihren Führer. Keiner wollte etwas mit den Nazis zu tun gehabt haben. So, als wäre mit Hitler, der am 30. April 1945 Selbstmord beging, die nationalsozialistische Bewegung von der Bildfläche verschwunden.

Mein Vater bestreitet das allerdings. Er sagt: «Das war nur scheinbar so. Tatsächlich hatte sich mit dem Zusammenbruch kaum etwas geändert. Die Menschen hatten so viel für eine falsche Ideologie geopfert, daß sie sich nicht schlagartig davon lösen konnten. Wären sie überhaupt dazu bereit gewesen, dann hätten sie schon viel früher die Konsequenzen ziehen müssen: Beispielsweise nach dem Attentat Stauffenbergs auf Hitler am 20. Juli 1944. Die Namen der Attentäter, die wichtigen Stellungen, die sie innehatten, ihr Todesmut – die Masse des Volkes hätte aufhorchen, Zweifel sich erheben müssen. Aber nichts dergleichen geschah. Man jubelte über Hitlers ‹Rettung› durch die oft zitierte ‹Vorsehung›. Man kämpfte weiter. Die Wehrmacht stürzte sich mit Elan in die Ardennenoffensive im Winter 44/45. Am 13./14. Februar 1945 ging Dresden im feindlichen Bombenhagel unter. Die Stadt war voller Flüchtlinge, als die alliierten Geschwader pausenlos angriffen. Ein Inferno brach aus. Schreckliches Fazit: 60000 Tote. Es wurde widerstandslos weitergekämpft. Selbst als sich Russen und Amerikaner am 25. April 1945 an der Elbe trafen, als Berlin eingeschlossen und der Krieg offensichtlich und endgültig verloren war.

Erst am 9. Mai schwiegen die Waffen, und von Stund an, sagst du, gab es keine Nazis mehr. Wie das kam? Die Menschen verdrängten ihre politische Vergangenheit, redeten sich und anderen ein, sie hätten nicht für die Nazis gekämpft, sondern für ihr Vaterland. Keiner saß für Hitler im Panzer, hat im U-Boot Geleitzüge angegriffen, über Feindesland Bomben abgeworfen. Niemand hatte für die Nazis Granaten gedreht,

Eisenbahnen gefahren, Befestigungen gebaut, 5,7 Millionen Juden ermordet, Millionen Russen, Polen und Westeuropäer zwangsrekrutiert, erschossen, erschlagen und verhungern lassen. Nein, sie hatten alle ausnahmslos nur ihre Pflicht getan, hatten nur Befehle ausgeführt, korrekt und zuverlässig. Alle waren sie anständige Menschen, die ihr Bestes gegeben hatten, weil sie das Beste gewollt hatten – für das Reich, für Deutschland, für den ewigen Frieden und die Freiheit aller. Nicht einmal die Hauptkriegsverbrecher beim späteren Prozeß in Nürnberg bekannten sich uneingeschränkt zu Adolf Hitler. Kein Trick war ihnen zu plump, keine Selbstverleugnung zu erbärmlich bei dem Versuch, ihren Hals aus der Schlinge zu ziehen. Nein, die Deutschen hatten ihre jüngste Vergangenheit durch einen einfachen Trick in schiere Pflichterfüllung umgewandelt. Vielleicht mußten sie es, vielleicht war es reine Notwehr, um vor sich und den Siegern zu bestehen, vielleicht auch glaubten sie wirklich daran.»

«Und wie war es bei dir selber? Du warst doch bis zum Schluß mit dabei, wolltest das Vaterland retten! So etwas ist doch gegen jede Vernunft!»

Mein Vater überlegte lange, ehe er antwortete. «So einfach war das nicht. Die eigene Propaganda und die Gegner taten alles, um den Widerstand geradezu herauszufordern. Feindliche Flugzeuge führten einen rücksichtslosen Bombenkrieg gegen die Städte und die Zivilbevölkerung. Konnte man von einem solchen Gegner Gnade und Milde erwarten? Was man von den sowjetischen Truppen nach der Eroberung der deutschen Ostgebiete hörte, löste Empörung und Rachegefühle aus. Auch die Franzosen waren nicht gerade human. Onkel Hans wurde von farbigen französischen Soldaten mit Kolbenhieben erschlagen, weil er nicht tatenlos mit ansehen wollte, als sie seine Frau vergewaltigten. Es gab eine Reihe von Gründen, um weiterzukämpfen. Heute, rückblickend, sieht natürlich vieles ganz anders aus.»

«Dann hatten die Leute doch recht, die behaupteten, nicht für

Hitler, sondern für ihre Heimat, ihre Familien und eine bessere Zukunft gekämpft zu haben.»

«Ja und nein. Du darfst Ursache und Wirkung nicht verwechseln. Wenn das Kind in den Brunnen gefallen ist, kann man nicht das Wasser dafür verantwortlich machen. Man muß vielmehr so ehrlich sein, zuzugeben, daß man die Augen verschlossen hat, wo man sie hätte weit aufreißen müssen.»

«Gut. Du hast aus der Vergangenheit gelernt. Aber du kannst dich trotzdem nicht von ihr lösen. Ich merke, du stehst nur mit einem Bein in unserer Zeit. Wir, die heutige Generation, sind dir nicht ganz geheuer.»

«Es ist viel komplexer. Der Schock der Niederlage von 1945 wäre zu verkraften gewesen, wenn man das Gewesene wirklich bewältigt hätte. Statt dessen hat man alles nur in eine dunkle Ecke geschoben und möchte nicht mehr daran erinnert werden. Ihr pfeift heute auf alles, was einmal wichtig war. Als ob es in der Geschichte niemals Größe gegeben hätte. Tapferkeit, Opferbereitschaft und Pflichterfüllung. Ihr pfeift darauf, weil ihr es mit Hitler in Zusammenhang bringt. Aber ich kann diese klassischen Tugenden nicht ganz über Bord werfen und mich einem spießigen Wohlstandsdenken hingeben, das niemand und nichts verpflichtet und nur auf den eigenen Vorteil bedacht ist. Individualismus nennt ihr das. Mir kommt es manchmal so vor, als sei es nichts anderes als die Fortführung der Unmenschlichkeit unter anderen Vorzeichen.»

«Wenn ich dich recht verstehe, dann seid ihr eigentlich erst lange nach dem Krieg richtig besiegt worden, weil ihr in euren Hoffnungen getäuscht worden seid.»

«Das ist richtig. Die Wurzeln unserer Zuversicht sind beschädigt worden. Was bleibt, ist nur ein wenig Hoffnung, daß man die Zukunft ohne Krieg und Waffen gewinnen kann. So wie die geschlagenen Bauern im 15. Jahrhundert ihre Hoffnung in dem Lied ausdrückten: ‹Geschlagen ziehen wir nach Haus, unsere Enkel fechten's besser aus!›»

«Götterdämmerung – so ähnlich stell ich mir das vor, so müßt ihr euch damals gefühlt haben. Wie hast du die letzten Tage und Wochen erlebt?»

Was Recht war, wird Unrecht

Der Mann war hager und grau im Gesicht. Seine Augen lagen tief in den Höhlen, und am Hals traten die Adern hervor. Sein Haar war kurz geschnitten, so daß die großen, blauroten Ohren noch größer wirkten. Der Blick des Mannes war im Gegensatz dazu lebhaft und konnte stechend scharf werden, wenn er jemanden erspähte, mit dem sich diskutieren ließ.

«Die Leute haben sich verändert», behauptete der Mann. «Vor drei Jahren haben sie mich alle angespuckt. Ich sei ein Volksschädling, Ungeziefer am Körper der Nation, das man ausmerzen müsse. Wenn mich die SS nicht ins KZ nach Dachau gebracht hätte – ich glaube, die Leute hätten mich mit den Stangen ihrer Hakenkreuzfahnen erschlagen, die aus jedem Fenster hingen. Wenn du heute einen fragst, da wissen die nicht einmal mehr, was das überhaupt ist, eine Hakenkreuzfahne. Und gehabt hat natürlich keiner eine. Und in der Partei war auch niemand. Und gegen Hitler waren sie alle schon immer. Lauter geheime Widerstandskämpfer waren sie. Sie sind nur zum Schein mitmarschiert, haben sich nur zur Tarnung das Parteiabzeichen angesteckt und Juden und KZ-Leute niemals im Ernst, sondern aus reinem Jux vergast und durch die Schornsteine gejagt. Als anständige Deutsche haben sie alle nur den Untergang des Dritten Reiches systematisch unterstützt. Es treibt einem die Tränen in die Augen, wie diese mutigen Antifaschisten tagtäglich ihr Leben riskiert haben, während wir KZ-ler sicher und geborgen in Dachau saßen und uns von freundlichen SS-Männern verwöhnen und Zucker in den Arsch blasen ließen.»

Diese bitter-ironischen Sätze sprach einer der befreiten KZ-Häftlinge. Er war unterwegs von Dachau in seine Heimat am

Oberrhein. Walter Jendrich hatte ihn in einem Bauernhaus am Rande eines Schwarzwalddorfes getroffen, als er fast gleichzeitig mit ihm um eine Unterkunft für die Nacht bot. Als Walter den Mann sah, wollte er gehen. Die gestreifte Häftlingskleidung bereitete ihm Unbehagen, flößte ihm irgendwie Angst ein.

«Du brauchst keine Angst zu haben, Junge», sagte der Mann, als er Walters Zögern bemerkte. «Ich bin kein Mörder und kein Sittenstrolch. Was ich auf dem Kerbholz habe, ist, daß ich kein Nazi war. Das ist schon alles.»

Er hieß Karl Lademann. Die Bauern behandelten ihn mit ehrfürchtiger Scheu. Doch sie gingen Gesprächen aus dem Weg. Sie waren unsicher und wußten zuwenig über jene Menschen, die noch vor kurzem als Staatsverbrecher gegolten hatten und jetzt von den Siegern gehätschelt wurden. Die Bauern, ein älteres Ehepaar mit einer erwachsenen, schiefschultrigen Tochter – der Sohn war im Krieg vermißt –, bemühten sich trotzdem nach Kräften, gute Gastgeber zu sein, sofern das damals möglich war. Sie boten Brot und ihr Eingemachtes an, dazu Milchkaffee und sogar Butter.

Walter fühlte sich fast wie zu Hause. Die Leute waren offensichtlich froh über seine Anwesenheit. Schien er ihnen doch der einzige zu sein, der sich mit dem KZ-Mann unbefangen unterhalten konnte. Sie ließen die beiden denn auch meist allein in einer kleinen Dachkammer, in der zwei Betten standen.

Sie blieben drei Tage, weil Lademann zu Kräften kommen wollte. Er hatte sich auf seinem bisherigen Marsch übernommen, hatte Atembeschwerden und Blasen an den Füßen. Sie halfen dem Bauern beim Füttern des Viehs oder spalteten Holz. Umsonst wollte keiner von ihnen die Gastfreundschaft in Anspruch nehmen. Nach der Arbeit saßen sie auf den Betten und redeten miteinander.

«Warum», nahm Walter Jendrich den Faden am ersten Abend auf, «warum wurden Sie so gehaßt und dann eingesperrt?

Waren Sie vielleicht ein Kommunist?»

«Nein», erwiderte Lademann, «ich war ein Gegner des Regimes, wenn du so willst: eher ein Kommunist als ein Nationalsozialist.»

«Dann wollen Sie also die Weltrevolution?»

Lademann zuckte müde mit den Schultern. «Klar. Wir wollen die Weltrevolution, weil wir geborene Halunken und Tagediebe sind. Weil wir gerne morden, plündern, den Kapitalisten die Hälse durchschneiden, Frauen vergewaltigen, Kirchen anzünden, Bauern von ihren Höfen vertreiben und was es so alles noch gibt.» Er grinste über sein ganzes lückenhaftes Gebiß, als er Walters ungläubiges, erschrecktes Gesicht sah. «Zum Glück haben wir Überlebenden im Augenblick was anderes zu tun. Wir müssen dieses Land wieder aufbauen, das Hitler so perfekt kaputtgemacht hat, wie es perfekter gar nicht mehr geht. Wir müssen dafür sorgen, daß die Betriebe, die Schulen, die Krankenhäuser wieder funktionieren, daß jeder Arbeit und Brot hat. Und wir müssen aufpassen, daß die Nazis nie wieder Gelegenheit haben, das deutsche Volk in den Abgrund zu stürzen.»

«Ich weiß nicht», sagte Walter Jendrich. «Sicher gab es Dinge, die nicht in Ordnung waren. Ich habe selber erlebt, wie man Juden zusammengeschlagen hat. Aber man muß doch die Idee sehen. Hitler wollte doch nur das Beste. Er hat es teilweise realisiert. Es gab keine Arbeitslosen mehr. Es ging wieder aufwärts. Jeder hatte sein Auskommen.»

«Stimmt», sagte Lademann. «Und er hat noch viel mehr getan. Er hat Autobahnen gebaut, den Arbeitsdienst eingeführt und die Wehrmacht aufgerüstet, so perfekt, daß sie nicht nur sechs Monate, sondern nahezu sechs Jahre durchgehalten hat, bis sie vollständig geschlagen war. So etwas kann man nicht hoch genug bewerten. Wenn man bedenkt, daß wir schon fünf Jahre Frieden haben könnten, wenn die Armee nicht so stark gewesen wäre, könnte einem direkt Angst werden.»

«Aber das ist doch kein Standpunkt», unterbrach Walter.

«Man muß sich wehren können, wenn man angegriffen wird.»

«Nun hör mal gut zu, mein Junge!» Lademanns Blick bekam etwas Hartes, Stechendes. «Denkst du vielleicht, der Autobahnbau, der Arbeitsdienst, die starke Armee, die Volkswohlfahrt, das Winterhilfswerk und all dieser völkisch-soziale Klimbim, das alles hat Hitler dem arbeitenden Volk zuliebe getan? Keine Spur, mein Lieber. Das alles gehörte zur Vorbereitung seines Krieges. Eines Krieges, der dazu dienen sollte, die Herrschaft des Faschismus über ganz Europa auszudehnen. Sieh mal, ich bin Arbeiter und weiß deshalb, wovon ich rede. Hitler hat mit Unterstützung der deutschen Industrie für seine Kriegsvorbereitungen ein gewaltiges Produktionsprogramm angekurbelt. Wir bekamen alle Arbeit. Genommen hat man uns dafür vieles, was die Arbeiter in Kämpfen errungen haben: die Freiheit, sich zu organisieren, in Gewerkschaften beispielsweise, das Streikrecht, die Möglichkeit, sich in Wort und Schrift gegen Unterdrückung und Ausbeutung zu wehren. Die fähigsten Arbeiterführer hat man in Konzentrationslager gesteckt. Es gab nur noch eine Einheitsgewerkschaft, die Deutsche Arbeitsfront. Keine Meinungsfreiheit mehr und keine Diskussionen. Es wurde nur noch befohlen und gehorcht. Morgens gab es Betriebsappelle, abends politische Schulungen. Wer aufmuckte, nicht mitmachte oder sich gar widersetzte, hatte nichts zu lachen. Er wurde entlassen und konnte von Glück reden, wenn er nicht im KZ landete. Nein, der Faschismus war und ist arbeiterfeindlich. Man kann es auch anders sagen: Der Faschismus ist eine Erscheinungsform des Kapitalismus, den Hitler bekanntlich nicht angetastet hat. Im Gegenteil. Nicht wenige Unternehmer werden ihm nachtrauern, weil sie sich jetzt wieder mit den Arbeitern auseinandersetzen müssen, anstatt ihnen einfach zu befehlen.»

Walter Jendrich überlegte. «Warum muß es immer Kämpfe und Auseinandersetzungen geben? Warum muß das, was dem Unternehmer nützt, unbedingt dem Arbeiter schaden?»

«Überleg doch mal: Es kann einer nur befehlen, wenn andere da sind, die ihm gehorchen. Wenn einer Herr sein will, muß er andere zu Knechten machen. Die Freiheit der einen setzt die Unfreiheit der anderen voraus. Und der Besitz weniger ist nur durch die Armut vieler möglich. Unterdrückung und Armut aber erzeugen Spannung und Auseinandersetzung. Deshalb ist es falsch, etwa zu glauben, daß es uns allen gutginge, wenn Hitler seinen Krieg gewonnen hätte. Er wollte über Europa herrschen. Also mußte er die anderen Völker unterdrücken und uns letzten Endes auch, indem er uns zu Wachhunden abrichtete. Aber Völker kann man auf die Dauer nicht in Ketten legen. Irgendwann bricht der Widerstand los, der Kampf um die Freiheit.»

«Aber warum kann es nicht Freiheit für alle geben?»

«Das ist auch eine soziale Frage, mein Junge. Der amerikanische Präsident Roosevelt hat einmal gesagt: ‹In einem Land, in dem es Arme und Reiche gibt, kann es keine Freiheit geben!›»

«Das verstehe ich nicht.»

«Das ist doch ganz einfach: Die Reichen, die Besitzenden, können ihre Meinung nicht nur äußern, sondern sie auch durchsetzen. Die Armen, die nichts weiter besitzen als ihre Arbeitskraft, müssen vorsichtig sein, sonst setzen sie ihre Existenz aufs Spiel – nämlich ihren Arbeitsplatz. Wo ist da also die Freiheit? Ich kann de facto nur frei sein, wenn ich unabhängig bin. Oder wenn ich mich mit den anderen Arbeitern zusammenschließe und verhindere, daß die Besitzenden ihre Macht ausüben.»

Walter Jendrich, sechzehn Jahre alt, waren solche Gedankengänge völlig fremd. Er konnte damit nichts anfangen. So sagte er:

«Hitler und Deutschland, das ist . . .» – er verbesserte sich –, «das war für uns ein und dasselbe. Mein Vater setzte sich für die Partei ein, und meine Mutter ließ nichts über den Führer kommen. Sie war in der NS-Frauenschaft. Wir Jungen sind in der Hitlerjugend großgeworden. Alle unsere Freunde und

Bekannten – sie dachten wie wir. Und jetzt soll auf einmal alles falsch gewesen sein?»

«Nicht erst jetzt», entgegnete Lademann. «Nicht weil Hitler den Krieg verloren hat, ist alles falsch und verbrecherisch. Es wäre ebenso falsch und verbrecherisch gewesen, wenn er gesiegt hätte. Allerdings hätten es dann nur wenige gemerkt. Was dich und deine Freunde betrifft – man hat euch eingefangen. Man hat euch die Aussicht mit Fahnen verstellt und euch mit Marschmusik besoffen gemacht. Militarismus und Heldentum, Gehorsam und Disziplin – immer schon waren wir Deutschen dafür empfänglich. Die Nationalsozialisten hatten es gar nicht so schwer, Fuß zu fassen. Ganz Deutschland wurde in wenigen Jahren ein einziger Kasernenhof, in dem die Partei- und Industriebonzen das Sagen hatten. Die große Masse wurde in Uniformen gesteckt, bekam Ober- und Unterführer und glaubte nun, sie hätte mitzubestimmen. – Sie durfte nur die Dreckarbeit machen. Ganze Völker abschlachten, im Krieg und in den KZs, sie durfte schuften und Heil brüllen. Mehr war nicht. In diesem Sumpf gedieh der Faschismus prächtig. Aber jetzt werden wir ihn in seinem eigenen Dreck ertränken. Es genügt nicht, sich mit ein paar geistvollen liberalen Späßchen von den Faschisten zu distanzieren. Hier hört der Spaß auf. Hier muß gegen sie gekämpft werden. Hart und unversöhnlich. Lieber vor die Hunde gehen, als sich mit diesen Strolchen zu arrangieren.» Lademann politisierte verbissen.

«Nie wieder Krieg», sagte Walter Jendrich. «Mein Bedarf ist gedeckt. Ich bin für den Frieden.»

«In Ordnung. Aber dann mußt du erkennen, daß ein Krieg nichts anderes ist als die Fortsetzung der inneren Konflikte nach außen hin. Die Spannung zwischen arm und reich, zwischen den wenigen Mächtigen und den vielen Ohnmächtigen, Ausgebeuteten und Unterdrückten wird einfach in eine andere Bahn gelenkt, bevor sie gesellschaftsverändernd wirken kann, verstehst du? Bisher haben es die Mächtigen immer wieder geschafft, den Unmut und den Zorn der Massen auf einen äußeren Feind zu lenken und dadurch von inneren Problemen abzulenken. Denk nur an die alten Parolen: Das Vaterland ist in Gefahr. – Ich kenne keine Parteien mehr, sondern nur noch Deutsche. Und das Volk fiel immer wieder darauf herein. Heute haben wir wieder eine Chance, damit Schluß zu machen. Jeder sollte sich sagen: Es ist genug. So nicht mehr! Die Völker kommen miteinander aus, und es wird keinen Krieg geben, wenn sie sich in keinen hineinhetzen lassen.»

«Mit anderen Worten», warf Walter ein, «die Menschen müssen zusammenhalten, müssen Brüder werden. Sagt das die Kirche nicht auch?»

«Gewiß. Nur – das Christentum überfordert die Menschen. Es verlangt von ihnen, sich gegenseitig zu lieben. Dabei wäre schon alles gewonnen, wenn die Menschen lernten, sich gegenseitig nicht zu hassen, sondern zu ertragen.»

Der Frieden war erlösend und bedrückend zugleich. Es fielen keine Schüsse und keine Bomben mehr, aber keiner wußte, wie es weitergehen sollte, was geschehen würde – morgen, übermorgen. Die große Angst vor dem Tod war gebannt. Dafür waren viele kleine Ängste an ihre Stelle getreten. Das Überleben war weiterhin ein drückendes Problem. Wo bekam man das Essen her, wann würde es wieder Arbeit geben? Heizungsmaterial, Schuhsohlen, Kleidung – die einfachsten Dinge waren Luxusgüter geworden, für die meisten unerreichbar.

Die Gegenwart der fremden Truppen war beängstigend. Es herrschte überall Ausnahmezustand mit Erschießungen von Plünderern, mit Sperrstunden und strengen Kontrollen. Es kam zu Ausschreitungen. Nicht selten wurden Unschuldige festgenommen, Frauen vergewaltigt. Naziverdächtige und solche, die aktiv mit der Partei und der Gestapo zusammengearbeitet hatten, wurden aufgespürt und verhaftet. Zum Teil waren es wirklich Schuldige, zum anderen bedauernswerte Opfer eines Irrtums. Oder aus persönlichen Rachegründen

Denunzierte, Unschuldige wurden ans Messer geliefert, um sich einen Vorteil bei den Siegern zu verschaffen. Es gab viele Gründe. Terror war von Terror abgelöst worden.

Die Unsicherheit schwelte in zerstörten Städten ebenso, wie sie durch die staubigen, ausgestorbenen Gassen der Dörfer geisterte.

Nach der Kapitulation der deutschen Wehrmacht am 7. Mai 1945, 2.41 Uhr, hatten auch die letzten Regimeanhänger die Hoffnung auf ein Wunder begraben. Für viele war die Welt aus den Angeln geraten und alles sinnlos geworden. Die Menschen wurden noch schweigsamer, mißtrauischer und verließen ihre Wohnungen nur, wenn es unbedingt sein mußte. Natürlich nur jene, die noch ein Dach über dem Kopf hatten. Die anderen, die Millionen, die unterwegs waren – auf der Flucht, auf dem Marsch nach Hause oder auf der Suche nach einer neuen Heimat –, sie alle konnten sich kein Mißtrauen leisten, konnten sich nicht verkriechen. Die auf der Straße waren eine Gemeinschaft. Sie übten Solidarität, weil sie aufeinander angewiesen waren. Sie verständigten sich, wo man die Nacht über unterkommen konnte, wo man etwas zu essen bekam, welche Wege sicher waren und wie man einen Ort umgehen mußte, um der gefährlichen Kontrolle der Militärpolizei zu entgehen.

Es waren nicht wenige, die die Landstraßen bevölkerten: die ersten aus der Gefangenschaft entlassenen Soldaten, Deserteure und Versprengte, die sich nun aus den Wäldern trauten, Flüchtlinge aus allen Teilen des Reiches. Männer, Frauen und Kinder mit Handwagen und primitiven Bretterkarren, auf die sie ihre Habseligkeiten geladen hatten. Auch Fremdarbeiter mit Fähnchen oder Armbinden waren dabei. Sie gehörten zu den Siegern und wollten mit den Deutschen nichts gemein haben. Hin und wieder sah man einen einsamen Mann aus dem KZ, der seine zerschlissene Häftlingskleidung wie eine Auszeichnung trug.

«Ich glaube, da ist halb Deutschland unterwegs», sagte Karl Lademann zu Walter Jendrich, als sie dem Ortsausgang näher kamen. Eine große Zahl von Landsern und Flüchtlingen drängte sich auf dem Schulplatz. Französische Posten hielten die Leute zusammen, die ängstlich und niedergeschlagen wirkten. Die Franzosen führten Ausweiskontrollen durch. Wahrscheinlich konnten sich die meisten nicht legitimieren. Auch Walter hatte nur seinen HJ-Ausweis. Und der mußte auf die Franzosen wie ein rotes Tuch wirken. Doch die Posten ließen die beiden ohne Kontrolle passieren. Einige salutierten respektvoll, als sie Lademann erblickten. Erkennbare Hitlergegner wurden von den Siegern bevorzugt behandelt.

«Noch», wie Karl Lademann sarkastisch bemerkte. «Vielleicht sind die einflußreichen Nazis bald wieder obenauf, und unsereins muß sich schämen, im KZ gewesen zu sein.»

Walter erwiderte nichts. Es war ihm peinlich, in Begleitung eines Antifaschisten all die vielen kleinen, aber unschätzbaren Vorteile, die dem anderen galten, mit zu genießen. Schließlich hatte er an Hitler geglaubt und hatte keinerlei Anspruch darauf, dafür auch noch belohnt zu werden.

Als er mit Lademann offen darüber sprach, lachte der nur. «Wem nützt es, wenn sie dich in ein Gefangenenlager stecken? Dir nicht, den Franzosen nicht und mir auch nicht. Außerdem halte ich nichts davon, wenn man euch Jungen für die Sünden eurer Väter büßen läßt. Das erzeugt in euch nur Rachegedanken und käme dem Faschismus zugute. Wir brauchen euch beim Aufbau, nicht in Gefangenschaft. Dieses Land benötigt jetzt Menschen, die noch jung genug sind, um umdenken zu können. Mit den Alten ist kein Staat mehr zu machen – wenigstens kein neuer Staat», schränkte er ein, und es klang ein wenig nach Resignation.

Wie berechtigt seine Zweifel waren, zeigte sich am unterschiedlichen Verhalten der Menschen, an deren Türen sie klopften. Meistens bekamen sie, um was sie baten: ein Stück Brot, eine Suppe, eine Bleibe für eine Nacht. Aber es gab auch andere.

Am zweiten Tag ihres gemeinsamen Marsches erreichten sie eine Mühle. Sie stand etwas abseits der Straße an einem reißenden Bach, in dem sich knarrend ein richtiges Bilderbuch-Mühlrad drehte. Alles wirkte freundlich und einladend, so daß sie gern die Nacht über hiergeblieben wären.

Da tauchte der Besitzer an der Tür auf und jagte sie davon. «Macht, daß ihr weiterkommt!» schrie er. «Heruntergekommenes Pack, Zuchthäusler. Für euch Schlamper ist hier nichts zu holen. Verschwindet, oder ich laß den Hund los!»

Walter wollte aufbegehren. Doch Lademann zog ihn weiter. Schweigend setzten sie ihren Weg fort. Am Abend kamen sie bei einer Witwe unter, die ein kleines Haus am Rande eines Dorfes bewohnte. Die alte Frau stand in der Tür und winkte die beiden herein. Sie wollte wissen, ob einer der Herren vielleicht ihren Sohn kannte, der seit einem Jahr irgendwo zwischen Witebsk und Warschau vermißt war.

Obwohl die beiden nichts darüber sagen konnten, meinte die Alte: «Dann kommen Sie halt herein, wenn sie schon einmal da sind. Gestern war auch ein junger Mann von der SS da. Der hat auf dem Holzspeicher geschlafen. Er sagte, in der Wohnung sei es ihm zu unsicher wegen der Franzosen. Aber als er heute morgen wegging, haben sie ihn vorn an der Ecke beim Schneider Dorn geschnappt. Sind Sie auch von der SS?»

«Im Gegenteil», sagte Lademann. «Wir sind von einer anderen Fakultät.»

«Aha.» Die Frau hatte etwas Mühe, zu begreifen. «Hab ich mir doch gleich gedacht. Sie können in der Kammer schlafen, da sind eine Bettstelle und ein Sofa. Und für Sie» – sie wandte sich an Lademann – «hab ich eine Hose von meinem Sohn. Damit Sie nicht die ganze Zeit im Schlafanzug rumlaufen müssen.»

Karl Lademann lächelte. «Vielen Dank. Sie sind sehr freundlich.»

Nach dem Abendessen – es gab Sauermilch und Pellkartoffeln – zog sich die Frau zurück, und die beiden gingen in die Kammer.

«Daß Sie das mit dem Müller so eingesteckt haben!» Walter wunderte sich noch immer.

«Warum nicht? Es passierte mir nicht zum erstenmal. Der Mann kann nicht über seinen Schatten springen. Hast du gehört, welche Ausdrücke er gebraucht hat? Zuchthäusler, heruntergekommen und Schlamper. Mein Anblick hat bei ihm diese Worte ausgelöst. Für ihn gibt es in der Welt nur zweierlei – den Himmel und die Hölle. Und der Himmel, das ist Ordnung, die Hölle die Unordnung. Die Obrigkeit und alles, was damit zusammenhängt, das ist die Ruhe und die Ordnung, und einer, der aus dem Gefängnis kommt, aus dem Zuchthaus oder KZ, der verkörpert das Chaos, die Unordnung, das Böse. So hat man es ihm eingetrichtert. Das steckt drin.»

«Ordnung ist des Himmels Tochter», sagte Walter. «Das hat unsere Deutschlehrerin immer gesagt.»

«Das glaub ich dir gern», meinte Lademann. «Für Demokratie und Freiheit kriegst du die Deutschen nicht auf die Barrikaden. Aber wenn es um die Ordnung geht, da verstehen sie keinen Spaß. Wehe dem, der nicht regelmäßig seine Fenster putzt und täglich seine Kommode abstaubt. Der gilt hierzulande schon als halber Staatsfeind. Der Hunger und das Elend in der Welt, Grausamkeit und Unmenschlichkeit – das alles ist zweitrangig. Hauptsache, die Straßen sind gefegt und die Kirchenglocken fangen pünktlich zu läuten an. Mit dieser Einstellung haben wir uns an der Geschichte vorbeigemogelt, haben die Augen zugemacht, wenn irgendwo etwas wirklich Wichtiges anstand. Mit der Ausrede, daß wir gerade den Hasenstall tünchen oder den Schrebergarten plätteln müssen!» Karl Lademann machte eine Pause, während er sich eine Zigarette drehte, kunstvoll und ohne hinzusehen. Er beleckte das Papier mit der Zungenspitze, entfernte sorgfältig die überstehenden Tabakskrümel und streute sie in die Blechschachtel zurück. Einem riesigen Messingfeuerzeug entlockte er ein winziges Flämmchen, paffte und fuhr fort: «In unserem Lager hatten wir einen Scharführer, Veske hieß er, der war eigentlich ganz umgänglich. Doch wenn er irgendwo einen offenen Knopf sah oder eine schief gefaltete Decke, bekam er einen Tobsuchtsanfall. Einmal war ich Zeuge, wie einer unserer Politischen, ein kleiner Jude, von zwei Kriminellen angepöbelt wurde. Die beiden wollten sich bei den Wachmannschaften einschmeicheln. Das ging am leichtesten, indem man einen Juden piesackte. Das wurde bei den SS-Leuten immer gern gesehen. Doch wider Erwarten ging die Rechnung diesmal nicht auf. Man staunte nicht schlecht als man den kleinen Juden zurückschlagen sah. ‹He!› riefen die Posten. ‹Ihr werdet doch hoffentlich mit dem Itzig fertig werden! Schlagt ihm die Fresse ein, wenn er frech wird, daß ihm der Synagogenschlüssel nach hinten steht!› Doch der Kleine war zäh und hatte offenbar Übung im Boxen. Er schlug dem einen Gegner eine blutige Nase, so daß der andere keine Lust mehr hatte, weiterzumachen. Als daraufhin die Posten den Juden zusammendreschen wollten, hielt sie Veske zurück. ‹Es war ein ehrlicher Kampf!› erklärte er. ‹Der Itzig hat gewonnen. Was Recht ist, muß Recht bleiben!› Und er warf dem Juden seine Zigarette zu, die erst halb geraucht war. Von diesem Zeitpunkt an behandelte der Veske den Juden nicht mehr wie ein Stück Vieh, er stellte ihn vielmehr gleichberechtigt auf die Stufe eines kriminellen Zuchthäuslers. Da kannte der Veske nichts. Doch der Jude hatte nicht viel von seiner Beförderung. Er machte nämlich den Fehler, daß er beim nächsten Appell mit staubigen Schuhen antrat. Und was Ordnung anlangte, da kannte Veske eben kein Pardon. Möglich, daß der Jude nicht daran dachte, vielleicht hatte es ihm auch keiner gesagt. Jedenfalls sahen alle mit Erschrecken, wie Veske vor dem Juden stehenblieb, immer blasser im Gesicht wurde und seine Mundwinkel zuckten. Das war ein sicheres Zeichen dafür, daß er kochte. ‹Was ist denn das?› fragte er, sich mühsam beherrschend. Der Jude blickte auf seine Schuhe hinunter. ‹Staub, Herr Scharführer! Ich habe gerade die Ascheimer ausgeleert.› Man sah, wie Veske nach Luft rang. ‹Hab ich dich vielleicht gefragt, was du ausgeleert hast, wie?› brüllte er los. ‹Antworte, du Saujud'!› – ‹Nein›, kam es leise und angstvoll über die Lippen des Juden, ‹Herr Scharführer haben mich nicht ...› – ‹Willst du wohl lauter reden, du Schweinehund! Oder soll ich mir deinetwegen vielleicht die Ohren ausrenken?› – ‹Nein, Herr Scharführer!› donnerte der Jude. ‹Na also!› keuchte Veske. Er zog seine Uniform straff und fuhr mit heiserer Stimme fort: ‹Jeder weiß, daß saubere Stiefel zum Appell gehören. Auch du weißt es. Trotzdem sind deine Stiefel dreckig. Und warum sind sie dreckig? Ich will es dir sagen.› Und nun begann er zu schreien, daß seine Stimme sich überschlug. ‹Weil du ein Meuterer bist, ein Revolutionär! Du willst Unordnung in das Lager bringen. Das Chaos soll hier ausbrechen, damit ihr und eure roten Genossen das Untermenschenparadies errichten könnt. Aber wir werden euch beschnittenen Drecksäcken das Handwerk legen! Los, runter mit den Schuhen!› Der Jude nestelte verstört die Schuhbänder auf und streifte die klobigen Stiefel von den Füßen. Daraufhin winkte Veske einen anderen Häftling herbei und befahl ihm, die ‹Plattfußlatschen›, wie er sich ausdrückte, eine Weile in die Latrine zu hängen und sie dann herzubringen. ‹Dir werd ich Ordnung beibringen!› schnaufte er. Und man konnte ihm ansehen, daß er jetzt ganz in seinem Element war. ‹Gleich darfst du zeigen, was du kannst. Ich gebe dir genau zwei Minuten Zeit. Danach hast du deine Stiefel so sauber abgeleckt, daß sie glänzen wie ein Affenarsch, verstanden!› Bleich und gefaßt nahm der Jude den Befehl entgegen. ‹Und damit du schon ein bißchen in Übung kommst, darfst du ausnahmsweise mit meinen Stiefeln anfangen.› Veske schob den rechten Fuß vor und deutete nach unten. ‹Also los!› Doch der Jude rührte sich nicht von der Stelle. Veske war zunächst fassungslos. Er sah aus wie einer, der ins Kino gegangen ist, um einen Dick-und-Doof-Film zu sehen und plötzlich erkennen muß, daß ‹Das Wunder von Bethlehem› lief. ‹Hinlegen!› befahl Veske, heiser vor Erregung. ‹Leg dich hin oder ich mach dich kalt!› Er fingerte das Seitengewehr aus der Halterung. Und als er sah, daß der Jude mit zusammengepreßten Lippen auch weiter in selbstmörderischer Widerspenstigkeit aufrecht stehen blieb, da schlug er zu. Den schweren Griff des Seitengewehrs hieb er dem Juden über den Schädel. Es gab einen dumpfen, knirschenden Laut. Dann sah man den Juden am Boden liegen. Über ihm stand Veske und drosch verbissen auf ihn ein. ‹Du – du – dir werd ich – du!› brach es aus ihm heraus. Und er schlug auf den zertrümmerten Schädel noch ein, als der Jude längst tot war. Ein paar seiner Kameraden beruhigten den Scharführer schließlich und führten ihn weg.» Karl Lademann drückte die Zigarette aus und legte die Kippe behutsam in die Tabakschachtel.

Unwillkürlich kam Walter Jendrich die Szene in den Sinn, als er im Schulhof vor dem vergitterten Fenster stand und Zeuge war, wie man die Juden quälte. Für diese Untaten, überlegte er, wird man uns jetzt alle verantwortlich machen. Und laut sagte er: «Wir haben wirklich nicht gewußt, was da in den Konzentrationslagern vor sich geht.»

Lademann winkte ab. «Es wußten etliche Bescheid. Doch die meisten wollten es nicht wissen. Sie fragten nicht danach, ob Hitlers Methoden richtig waren oder nicht. Für sie ging es nur darum, ob er gewinnen würde oder nicht. Solange er siegte, hatte er recht.» Lademann schwieg eine Weile, ehe er fortfuhr: «Ein andermal spielte der Scharführer Veske verrückt, weil die Richtung nicht stimmte. Der Lagerälteste hatte antreten und die einzelnen Kolonnen sich ausrichten lassen. Doch als Veske am rechten Flügel mit zusammengekniffenen Augen kontrollierte, fand er die Front so krumm, ‹wie ein Hund pißt›. Er ließ sich einen Stuhl bringen und hieß den Lagerältesten die Richtung korrigieren. Zwei Häftlinge aus einem anderen Block wurden dabei ziemlich ungeduldig, als es nicht klappte. ‹Entschuldigung, Herr Scharführer›, sagte der eine, obwohl es verboten war, die Wachmannschaften anzureden, ‹wir bitten, kurz in die Unterkunft wegtreten zu dürfen!› – ‹Was ist los?› – ‹Wir haben in der Baracke ein Feuer, um unsere nasse Kleidung zu trocknen. Wir waren beim Brunnengraben heute morgen, als der Wolkenbruch . . .› – ‹Der siebte Mann im zweiten Glied – dir werd ich gleich deinen

Spitzkühler abschmirgeln! Den braucht kein Mensch!> – <Verzeihung, Herr Scharführer>, meldete sich der Häftling mit kläglicher Stimme wieder zu Wort. <Bitte entschuldigen Sie, aber das Feuer ... Man müßte einmal nach dem Feuer schauen, es könnte sonst etwas passieren, ich meine, wenn das Feuer ...> Alle hörten, was der Häftling vorbrachte. Auch Veske hatte es gehört. Doch er kümmerte sich nicht darum. Er nahm es einfach nicht zur Kenntnis. Vielleicht wollte er damit zum Ausdruck bringen, daß er nicht gewillt war, sich unaufgefordert anreden zu lassen. Vielleicht nahm ihn auch die Kontrolle so in Anspruch, daß er gar nichts anderes wahrnehmen konnte. Möglicherweise waren ihm die Ohren einfach zugefallen wie dem Auerhahn beim Balzen, so daß er nichts hören konnte. <Sauhaufen!> brüllte er. <Das ganze dritte Glied ist ein einziger Sauhaufen!> Und er korrigierte weiter. Eine geschlagene Stunde lang. Der Häftling wagte nun nicht mehr, sich noch einmal bemerkbar zu machen. Doch das brauchte er auch nicht. Zuerst roch man es, und kurz darauf konnte jeder sehen, wie die Flammen aus dem Block C schlugen. Da kamen auch schon die Wachmannschaften schreiend angerannt. <Feuer!> schrien sie. <Alle Mann zum Löschen!> Doch so unglaublich es auch klingen mag – der Veske ließ nicht wegtreten. Er korrigierte weiter. Bis der Untersturmführer aufkreuzte, alle auseinanderscheuchte und Veske von zwei Posten wegbringen ließ. Aber da war die Baracke fast niedergebrannt, und man konnte nur noch dafür sorgen, daß das Feuer nicht auf die anderen übergriff.»

Karl Lademann hatte bereits während der letzten Sätze begonnen, die Schuhe auszuziehen und legte sich nun auf das abgewetzte Sofa. «Schlaf gut, Junge», sagte er. «Morgen werde ich mich bei den Franzosen melden. Vielleicht können wir auf einem Fahrzeug ein Stück mitgenommen werden. Mit meinen Füßen schaff ich's nicht mehr weit.»

«Was ist eigentlich mit ihm passiert? Ich meine diesen Scharführer Veske. Und mit den anderen SS-Leuten, hat man sie verhaftet?»

«Ja, natürlich», sagte Lademann. «Sie wurden abtransportiert. Veske allerdings nicht. Aber das habe ich dir ja noch gar nicht erzählt. Wie dumm von mir. Jetzt hätte ich dir doch glatt den Witz der ganzen Geschichte unterschlagen. Vielleicht läßt mein Kopf auch nach. – Also, der Veske war in den letzten Wochen total übergeschnappt. Je deutlicher sich das Ende des Dritten Reiches abzeichnete, desto verrückter wurde er. Und immer hatte er's mit der Ordnung. Es ging ihm gegen den Strich, daß die Stacheln an unseren Drahtzäunen, die das ganze Lager mehrfach umgaben, daß diese Drahtspieße sternförmig nach allen Seiten abstanden. Und so befahl er uns eines Tages, die Dinger geradezubiegen, die Stacheln so auszurichten, daß sie nur noch nach oben und unten zeigten. Er setzte durch, daß an diesen Stellen, an denen wir arbeiteten, der Strom abgeschaltet wurde. Der Stacheldraht war normalerweise elektrisch geladen. Er wollte uns sogar Handschuhe besorgen, damit wir die Einfriedung des Lagers, wie er es nannte, schneller in einen ordentlichen Zustand bringen konnten. Er freute sich, als die Stacheln militärisch ausgerichtet waren. ‹Die Umgebung prägt den Charakter›, sagte er. ‹Ich werde dafür sorgen, daß ihr ringsum nur noch gerade, aufrechte und ordentliche Dinge zu sehen bekommt. Das muß auf solche Schweine wie euch eine heilsame Wirkung haben. Ihr seht, ich will euch nur helfen. Je schneller, desto besser.› Am Schluß hatten wir etwa hundert Meter Stacheln geradegebogen. Aber das war nur ein kleiner Teil. Weil es Veske nicht schnell genug ging, half er schließlich selber mit. Er arbeitete wie ein Besessener. Auch abends noch, als wir längst in den Unterkünften eingerückt waren. Ganz allein stand er draußen und bog die Dornen senkrecht, bis es dunkel wurde. In seinem Eifer vergaß er wohl, daß abends der Strom wieder eingeschaltet wurde. Am nächsten Morgen fanden sie ihn tot in den Drähten hängen. Er endete, wie man es bisher nur von Häftlingen gewohnt war, die in den Zaun rannten, weil sie den Lagerkoller bekamen oder weil sie glaubten, fliehen zu können. Immerhin – er starb für das, was ihm im Leben das

Höchste gewesen war: die Ordnung. Vielleicht werde ich es noch erleben, daß ihm ein Denkmal gesetzt wird. Wundern würde es mich nicht. Der Dichter Bertolt Brecht, den du wahrscheinlich nicht kennst, schrieb einmal: ‹Noch fruchtbar ist der Schoß, aus dem dies kroch.› Der Mann hat recht. Bis jetzt hat sich daran nichts geändert. Es genügt nicht, den Faschismus umzuhauen. Man muß seine Wurzeln ausreißen. Ein hartes Stück Arbeit. Gute Nacht!» Er wälzte sich zur Seite, und wenig später hörte Walter ihn schnarchen.

Am anderen Tag nahmen sie Abschied. Karl Lademann hatte beim französischen Ortskommandanten einen Passierschein erhalten, der ihm erlaubte, Armeefahrzeuge in Anspruch zu nehmen, wo sich Gelegenheit bot, um auf schnellstem Weg in seinen Heimatort zu gelangen.

Walter Jendrich konnte und wollte nicht mit. Sein Ziel lag im Norden. Er beschloß, sich allein durchzuschlagen. Das Marschieren machte ihm nichts aus. Das jedenfalls hatten sie ihm beigebracht, daran war nicht zu rütteln – auch wenn er von der Existenz eines Bertolt Brecht erst gestern gehört hatte.

Nach knapp vierzehn Tagen war er zu Hause. In der kleinen Stadt hatte sich seit seinem Weggang kaum etwas geändert. Hier waren die Amerikaner. Adrett, hygienisch und gesund, eine Aura von Wohlstand und Überfluß um sich verbreitend, beherrschten sie mit ihren schnellen Jeeps das Straßenbild.

Walter Jendrich bekam weiche Knie, als er vor der Haustür stand und auf den Klingelknopf drückte.

Die Mutter öffnete. Einen Moment lang sah sie ihn wie eine Erscheinung an. «Komm rein», sagte sie. «Vater ist vermißt.» Und dann nahm sie ihn in die Arme und schluchzte. Zwischen ihrem Schluchzen vernahm Walter ein paar Wortfetzen: «Alles aus – so ein Unglück – und unser Führer ist tot!» In Walter Jendrich krampfte sich etwas zusammen. Unwillkürlich dachte er an Karl Lademann und wünschte sich, irgendwo weit weg zu sein.

Es kam die Zeit, da die Menschen in die Hände spuckten und

das Wort Politik aus ihrem Gedächtnis verbannten. Am Anfang stand der Hunger. Er wirkte wie eine Peitsche. Man schuftete, enttrümmerte die Städte, setzte Produktionsstätten in Gang. Und man war dankbar, daß man noch lebte. Es konnte nur besser werden.

Das Wirtschaftswunder startete mit Vollgas. Verwirrt standen die Menschen vor den gefüllten Schaufenstern, die sich am Morgen nach der Währungsreform mit vergessenen Köstlichkeiten präsentierten. Alles war wieder zu haben, auch das, was man nur noch vom Hörensagen kannte. Schinken und Delikatessen, Obst, Schuhe und Stoffe in reicher Auswahl, Fahrräder und Zigaretten – alles, soviel man wollte.

Doch nein, nicht soviel man wollte. Nun, da es alles gab, fehlte das Geld, um es zu kaufen. Mit zunächst vierzig Deutschen Mark Kopfgeld, die jeder an diesem denkwürdigen 21. Juni 1948 ausgehändigt bekam, konnte man keine großen Sprünge machen. Doch entscheidend war die Gewißheit, daß es nun aufwärtsging. Nun konnte man sparen, sich einrichten, planen, die Zukunft aufbauen.

Jeder hatte so viel mit sich selbst zu tun, daß er nicht bemerkte, wie die Machtpositionen in dieser sich neu formierenden Gesellschaft fast lautlos besetzt wurden. Die alten Wertvorstellungen wurden neu belebt. Man distanzierte sich von Hitler – gewiß. Aber man war Deutscher, hatte tapfer für sein Vaterland gekämpft, das wieder einmal dem Verrat zum Opfer gefallen war und den militärischen «Fehlern» Hitlers. Von Kriegsverbrechen wußte keiner etwas. Man schob sie den Nazis in die Schuhe – vorwiegend den kleinen Mitläufern, die sich nicht wehren konnten, die die Befehle ausgeführt hatten, die jene ihnen gegeben hatten, die zum Teil schon wieder in Chefetagen saßen.

Walter Jendrich lebte nicht mehr zu Hause. Er arbeitete in einer Druckerei am Rande einer süddeutschen Großstadt. Hier traf er auch Anfang der fünfziger Jahre durch Zufall Karl Lademann wieder. In der Straßenbahn standen sie einander gegenüber und erkannten sich sofort.

Karl Lademann sagte: «Mensch, Junge, bist du's wirklich?» Er hatte sich nicht sehr verändert. Zwar ordentlich gekleidet, sah er dennoch nicht so aus, als habe er inzwischen Karriere gemacht.

«Ich arbeite als Mechaniker bei Daimler-Benz», sagte er. «Ich wohne in einer kleinen Bude, allein und frei. Kann mich eigentlich nicht beklagen. Es ist fast alles wie früher, vor dem Krieg.»

«Na, ein bißchen anders ist es wohl schon», bemerkte Walter Jendrich. «Schließlich haben wir jetzt eine Demokratie.»

«Wir müssen uns einmal unterhalten», meinte Lademann, der aussteigen mußte. «Besuch mich mal, wenn du Zeit hast.» Und er gab Walter seine Adresse. Die Gegend war nicht gerade vornehm.

Einige Tage später saß Walter Jendrich seinem ehemaligen Weggefährten in dessen Zimmer gegenüber. Es war eine mit alten Möbeln und vielen Büchern eingerichtete kleine Bude. Alles stand an seinem Platz, und der Phantasie war wenig Raum gelassen. Behaglich war es hier nicht.

Karl Lademann schien zu bemerken, daß sein Gast die Behausung nicht sehr anregend fand. Er entschuldigte sich auf seine Weise. «Ich bin meistens unterwegs», sagte er. «Und auf Äußerlichkeiten lege ich schon lange keinen Wert mehr.»

«Der Scharführer Veske wäre bestimmt zufrieden», sagte Walter und deutete auf die mustergültige Ordnung ringsum. Lademann lachte gepreßt. «Auch was man gegen seinen Willen beigebracht bekommt, bleibt hängen. Die haben uns ganz schön fertiggemacht. Aber was soll's?»

Walter Jendrich hörte die Resignation aus den Worten des anderen heraus. «Als wir uns das erste Mal begegneten, hatten Sie aber Mumm. Sie wollten aktiv einsteigen, ein neues Deutschland aufbauen.»

Verlegen lächelnd winkte Lademann ab. «Das war damals», wich er aus. «Man wird nicht jünger mit den Jahren.»

«Ich verstehe nicht, wie Sie so reden können.» Walter Jendrich war sichtlich enttäuscht.

«Weißt du», versuchte Lademann zu erklären, «es läuft nicht immer alles so, wie man sich das vorstellt. Als ich zurückkam, damals im Mai fünfundvierzig, da . . .» Er stockte und blickte durch das kleine Fenster auf die gegenüberliegende graue Hauswand. «Du bist jung», nahm er einen neuen Anlauf. «Und die Jugend denkt nicht daran, daß sie einmal sterben könnte. Deshalb erscheint es ihr leicht, die Welt zu verändern, fortschrittlich zu sein. Erst mit den Jahren, wenn man die Grenzen seines Lebens erkennt, sieht man auch die Grenzen des Fortschritts. Man sieht auf einmal ein, daß ein Leben viel zu kurz ist, um etwas zu verändern. Man beginnt dann zu zweifeln, ob sich überhaupt je etwas verändern läßt. In dieser Lage wird man konservativ.»

«Sie sind . . .? Sie wollten doch kämpfen und für Ihre Überzeugung eintreten! Warum tun Sie es nicht? Gerade jetzt wäre es doch nötig, wo vieles so gekommen ist, wie Sie es vorausgesagt haben.» Walter Jendrich redete sich in Eifer. «Sie sollten etwas tun. Wir haben doch eine Demokratie, und da braucht man solche Leute wie Sie!»

Die Worte verfehlten ihren Eindruck auf Karl Lademann nicht. Seine Augen wurden lebendig, und für einen Augenblick schien es, als sei der alte Kampfgeist in ihn zurückgekehrt. «Die Demokratie ist eine schöne Sache», sagte er. «Nur – wir haben keine. Ein System, in dem jeder versucht, sich auf Kosten seines Nächsten nach oben zu boxen, um schnell wohlhabend und reich zu werden, ist nicht die Demokratie, die ich meine. In einer richtigen Demokratie muß jeder sein Scherflein zum Ganzen beitragen. Alle müssen sich verantwortlich fühlen. Noch läuft alles, noch spucken die Leute in die Hände und ziehen an einem Strang, ohne viel zu fragen, was da eigentlich hochgezogen wird. Das Ziel ist Wohlstand, ein eigenes Haus, ein Kühlschrank, ein Auto. Eines Tages werden sie wieder aufwachen. Spätestens dann, wenn es nicht mehr so recht vorwärtsgeht, wenn die Leute müde werden vom Ziehen und mit ihrem Latein am Ende sind, wenn sie sich vor ihrer Verantwortung drücken und sagen: ‹Überlassen wir das Denken doch den Pferden, die haben die größeren Köpfe!» Dann ist es zu Ende. Dann werden die mit den größeren Köpfen – die Großkopfeten – ihre Macht entfalten und sich als Kettenhund einen neuen Faschismus zulegen, der wahrscheinlich einen ganz anderen Namen trägt. Du und ich, wir werden ihn erkennen. Aber werden es unsere Kinder auch noch?»

Er hielt erschöpft inne, holte wie damals seine Tabaksschachtel hervor und begann sich eine Zigarette zu drehen.

«So gefallen Sie mir schon besser», erwiderte Walter Jendrich lächelnd. «Sie sollten öfter mal raus, unter Menschen.»

«Ich bin immer unterwegs.»

«Und wohin?»

Lademann zuckte mit den Schultern. «Meistens in der Kneipe nebenan. Dort treffe ich ein paar Freunde, mit denen man sich unterhalten kann.»

«Das meine ich nicht. Sie sollten ab und zu hingehen, wo etwas los ist. Zu Versammlungen oder wenigstens ins Kino.»

«Hm . . .» Lademann überlegte und sagte dann: «Vielleicht hast du recht, gehen wir.»

Eine halbe Stunde später waren sie unterwegs und durchquerten die Innenstadt. Auf der Suche nach einer interessanten Veranstaltung landeten sie im Nebenzimmer einer Altstadtkneipe, in der eine Filmvorführung angekündigt war. Auf Plakaten war ein russischer Musikfilm angezeigt, in dem es um einen russischen Komponisten ging, um Mussorgskij oder Borodin. Als Veranstalter zeichnete eine Gruppe mit dem Namen Demokratischer Kulturbund.

Sie wären fast an dem Lokal vorbeigegangen, wenn nicht vor dem Eingang und auf der gegenüberliegenden Straßenseite zahlreiche Leute gestanden hätten, vorwiegend junge. Ein paar von ihnen verteilten Flugblätter, in denen auf die Filmveranstaltung hingewiesen wurde.

«Wollen wir rein?» fragte Walter.

Karl Lademann winkte ab. «Das bringt nichts ein. Der Demokratische Kulturbund ist eine Organisation der Kommunistischen Partei. Leute, die solche Veranstaltungen besuchen, haben bald ihren festen Platz in den Listen des Verfassungsschutzes.»

Walter wurde neugierig. «Haben Sie etwa Angst?» fragte er Lademann.

«Darum geht es nicht. Man sollte nur daran denken, daß es in diesem Land außer der freien Marktwirtschaft noch eine andere heilige Kuh gibt, die man nicht ungestraft antasten kann, und das ist der Antikommunismus. Der ist zwar, wie Thomas Mann bereits vor über zwanzig Jahren bemerkte, die Grundtorheit unserer Epoche. Aber schließlich leben wir in einer Demokratie, und da hat jedermann auch ein Recht auf Torheit. Also gut, gehen wir hinein. Wir werden ja sehen, was die zu bieten haben.»

«Müssen Sie alles immer so politisch betrachten?» Walter deutete auf das Flugblatt, das ihm jemand in die Hand gedrückt hatte. «Hier geht es nicht um Kommunismus und Antikommunismus, sondern um einen Film mit Musik, Ballett und Oper. Man kommt auf andere Gedanken, kommt einfach raus aus der Tretmühle.»

«Warten wir's ab», entgegnete Lademann knapp und setzte sich in Bewegung. Walter Jendrich folgte ihm.

Sie stiegen ein paar Steinstufen hinauf in einen muffigen Flur, folgten dem Hinweisschild «Nebenzimmer» und gelangten über einen mit Fässern vollgestellten bierdunstigen Hinterhof schließlich in den Veranstaltungsraum.

Das Dutzend aufgestellter Stuhlreihen war etwa zur Hälfte besetzt. Die Zuschauer saßen in kleinen Gruppen verstreut oder auch zu zweit. Vorwiegend Männer der mittleren und älteren Generation, wenige junge Leute, ein paar Künstlerköpfe. In der vorletzten Reihe saß ein Mann mit kurzgeschnittenem Haar und starrte gelangweilt auf die hohe, schmutzige Kalkdecke über sich, wohl um zu zeigen, daß er sich für seine Umwelt nicht im geringsten interessierte.

Karl Lademann machte eine Kopfbewegung zu ihm hin, während sie irgendwo in der Mitte Platz nahmen. «Der Verfas-

sungsschutz ist schon da», sagte er. «Kein Musikfilm also.»
«Kennen Sie den Mann?»

«Nein, aber ich kenne den Typ. Ich hab ihn so gut kennenge-
lernt, daß ich ihn aus tausend anderen herausfinde, daß ich ihn
rieche, diesen Gesinnungsschnüffler. Man müßte den Kerlen
die Zähne einzeln einschlagen und anschließend ihre Fressen.
Vielleicht tu ich dem Mann da hinten unrecht. Aber mir ist
nun mal die ganze Zunft zuwider.» Obwohl Lademann nur
halblaut sprach, hörte man seine Erregung heraus.

Ein Mann mit einem zerfurchten Arbeitergesicht und einem
faltigen Hals unter dem gestärkten Kragen mit der dünn
geknoteten Krawatte – Walter Jendrich erfuhr später, daß er
Nervenarzt und Vorstand des Kulturbundes war – trat vor die
Leinwand, die aufgerollt an einem Kartenständer hing. Er
wartete, bis es still geworden war und begrüßte dann die
Zuschauer mit ein paar höflichen Worten. Auf den Film ging
er nicht besonders ein. Er schlug aber vor, im Anschluß daran
zu diskutieren. Dann wünschte er der Veranstaltung einen
guten Verlauf und setzte sich.

Der Beifall war verhalten. Walter Jendrich fiel dabei auf, daß
auch der Verfassungsschutzmann wohlwollend in die Hände
klatschte, während er immer noch zur Decke schaute.

Der Vorführer schaltete den Projektor ein. Jemand knipste
das Licht aus.

Die erste Filmrolle lief ohne Störung ab. Der Film kam bei
den Zuschauern an, obwohl er wie alle biographischen Dar-
stellungen ein wenig ins Bilderbuchhafte geriet. Aber vielleicht machte gerade das ihn sehenswert. Denn die Höhe-
punkte des Bilderbuches waren zweifellos die großartigen
Opernszenen. Alles daran war monumental. Die Ausstat-
tung, die stimmgewaltigen Solisten, die Chöre, die wie ein
Orkan über die Zuschauer hereinbrachen, das Ballett, über-
schäumend und zugleich von einer technischen Vollkom-
menheit, die auch den Laien in Begeisterung versetzte. Nach
den Polowetzer Tänzen klatschten einige der Zuschauer
Beifall.

In einer der Zwangspausen, als das Licht an war, weil der Vorführer die nächste Filmrolle einlegen mußte, wurden draußen Stimmen laut. Die Zuschauer reckten die Hälse.

Dann wurde die Tür aufgerissen. Ein Dutzend bulliger Gestalten, Schlägertypen einer wie der andere, drängten herein und brüllten: «Aufhören!»

Walter Jendrich blickte seinen Begleiter fragend an. Doch Karl Lademann hielt die Lippen zusammengepreßt. Sein Gesicht war kalkweiß. Die Leute ringsum blickten sich irritiert an.

Die Burschen nahmen vor der Leinwand Aufstellung, breitbeinig und mit geballten Fäusten. Der Anführer, ein einarmiger Riese, brüllte in den Raum: «Wir protestieren gegen diese Vorführung! Das ist alles kommunistische Propaganda. Wir sind für die Freiheit!» «Frei-heit!» skandierten die anderen.

Die Zuschauer waren empört. Einige erhoben sich von den Sitzen, Protestrufe wurden laut. Auch ein paar Ängstliche gab es, die aufstanden und den Raum verließen, während durch die Türe andere, Neugierige von der Straße, hereindrängten.

Vor der Leinwand versuchte der Nervenarzt beruhigend auf den Einarmigen einzuwirken. Doch der brüllte: «Fassen Sie mich nicht an, ich bin kriegsversehrt!»

Dabei hatte ihn der Nervenarzt gar nicht berührt. «Meine Herren», sagte er. «Wir haben die Genehmigung, diesen Film zu zeigen. Holen wir die Polizei und regeln wir alles in Ruhe!» Und den aufgebrachten Zuschauern rief er zu: «Bitte bleiben Sie sitzen! Nicht provozieren lassen!»

«Die Kerle sind ja blau», versuchte Walter Jendrich die Angelegenheit herunterzuspielen, als er sah, daß Karl Lademann am ganzen Körper zitterte und sich nur mühsam beherrschte. Nebenan erhob sich ein älterer Mann. «Ich rufe die Polizei an», sagte er, «so etwas kann man sich doch nicht bieten lassen! Das ist ja wie in Rußland oder wie vor fünfundvierzig!»

«Weitermachen!» riefen die Zuschauer. «Wir wollen den

Film zu Ende sehen!» Im übrigen verhielten sie sich diszipliniert und blieben auf ihren Plätzen.

Der Filmvorführer und ein anderer Mann waren dem Kulturbundvorsitzenden zu Hilfe gekommen. Zu dritt versuchten sie, den Einarmigen zu bewegen, mit seinen Leuten abzuziehen. Doch der entzog sich immer wieder und sammelte seine Schläger um sich. Aus ihrer Mitte heraus schrie er seine Parolen in den Saal: «Ich war in Rußland! Da sieht es anders aus, als es hier gezeigt wird! Da wird nicht nur getanzt und gesungen. Ich habe meinen Arm geopfert, jawohl, ich habe es für Deutschland getan! Aber nicht dafür, daß hier die Kommunisten ihre Propagandafilme zeigen können. Wir haben Europa vor der roten Gefahr gerettet. Und wir werden es auch weiter tun! Auf uns kann man sich verlassen! Wir sind deutsche Patrioten und keine KZ-Ganoven!»

Nach diesem Satz machte sich eine betretene Stille breit. Die Leute blickten sich an, als ob sie sich vergewissern wollten, daß sie auch richtig gehört hatten. Und Walter bemerkte plötzlich, daß sein Nachbar nicht mehr neben ihm saß.

Wie aus dem Boden gewachsen stand Karl Lademann mit einemmal vor dem Einarmigen. Er zitterte nicht mehr. Im Gegenteil, er sah ganz so aus wie einer, der sich erleichtert fühlt, weil er sich zu einem Entschluß durchgerungen hat. Er blickte den Einarmigen an und sagte: «Du Schwein.» Mehr nicht. Doch in diesen beiden Worten lag eine abgrundtiefe Verachtung, die einen betroffen machte.

Im Nu hatten die Burschen Lademann in die Zange genommen. Es kam zu einem Handgemenge. Walter eilte nach vorn, um seinem Begleiter zu Hilfe zu kommen. Auch ein paar andere. Der Vorsitzende und seine beiden Helfer bemühten sich verzweifelt, die Streitenden zu trennen, zu beschwichtigen und eine Massenschlägerei zu verhindern.

Es war ein Gedränge vor der Leinwand. Ein Gewirr von Armen, alle bestrebt, Raum zu schaffen, zu stoßen, zu packen, zu schieben und wegzudrängen.

Aus diesem Knäuel löste sich taumelnd Karl Lademann. Er

hielt die Hand vor das Gesicht. Zwischen den Fingern sickerte Blut hervor. Walter Jendrich und ein Fremder fingen ihn auf und setzten ihn auf einen Stuhl.

Die Zuschauer riefen erregt nach der Polizei. Vor der Leinwand ordnete der Einarmige seine Leute, und dann stimmten sie das Deutschland-Lied an. Die erste Strophe. «Deutschland, Deutschland über alles . . .» So unwirklich das Walter anmutete, es wurde alles noch grotesker, als sich ein paar Zuschauer – aus Unsicherheit wahrscheinlich – von den Plätzen erhoben. Sogar unter diesen makabren Umständen flößte ihnen die Nationalhymne offensichtlich Respekt ein.

Nach dem Lied verdrückte sich der Störtrupp auf demselben Weg, den er gekommen war.

Während der Vorsitzende nun die Zuschauer beruhigte und versicherte, daß man sich von solchen gekauften Acht-Groschen-Typen nicht davon abhalten lassen würde, die Vorführung zu Ende zu bringen, kümmerte sich Walter um Lademann. Doch Karl Lademann wollte sich nicht beschwichtigen lassen. Seine aufgeschlagene Unterlippe blutete, er mußte immer wieder das Taschentuch davorhalten. Das hinderte ihn aber nicht daran, aufzustehen: «So etwas darf man nicht hinnehmen», sagte er mit leicht veränderter Stimme. «So wurde schon einmal eine Demokratie zusammengetreten. Damals die Weimarer Republik. Gegen so was muß man sich wehren. Wir dürfen uns von diesen Faschisten nicht an die Wand drücken lassen. Es wäre schlimm», fügte er leiser werdend hinzu, «wenn der Eindruck entstünde, daß diese Strolche den Staat und die Volksmeinung verkörpern und wir nur eine geduldete Minderheit sind. Dann würde ich in diesem Land nicht mehr leben wollen . . .» Er setzte sich wieder.

Kurze Zeit darauf erschien die Polizei. Walter Jendrich sah den Verfassungsschutzmann an der Tür stehen und mit einem Beamten sprechen. Dann verschwand auch er.

Die Polizisten verlangten die Ausweise. Der leitende Beamte ließ sich vom Vorsitzenden den Zwischenfall schildern. Auch einige Zuschauer machten nun ihrer Empörung Luft.

«Wie in Spanien», sagte einer.

Und ein anderer: «Wie in Rußland.»

«Bitte Ruhe!» gebot der Polizist. «Ich muß doch sehr bitten!»

«Wir haben die Veranstaltung ordnungsgemäß angemeldet», sagte der Arzt. «Hier ist die Genehmigung des Amtes für öffentliche Ordnung. Wir verlangen, daß man uns den Film zu Ende sehen läßt. Die Zuschauer haben ein Recht darauf.»

«Sie haben hier gar nichts zu verlangen», entgegnete der leitende Beamte barsch. «Wenn die Veranstaltung die öffentliche Sicherheit gefährdet, dann sind wir verpflichtet, sie zu schließen.»

«Wir sind es nicht, die hier die öffentliche Sicherheit gefährden!» rief Lademann dazwischen. «Warum fahnden Sie nicht nach den Urhebern der Störung?»

«Sie sind hier nicht gefragt!» fauchte ihn einer der kontrollierenden Ordnungshüter an. Es war derselbe, der sich mit dem Verfassungsschutzmann unterhalten hatte. «Übrigens – zeigen Sie mal Ihren Ausweis, bitte!»

Der Polizist steckte das Dokument ein, ohne einen Blick darauf zu werfen. «Sie waren in die Angelegenheit hier verwickelt», sagte er kühl. «Ich muß Sie bitten, uns zum Revier zu folgen.»

«Ich bin also verhaftet – wieder einmal», sagte Karl Lademann mit einem seltsamen Lächeln und krempelte den Ärmel hoch. «Sperren Sie mich nur gleich ein, ich bin für den Knast bestens präpariert!» Er zeigte die eintätowierte KZ-Nummer. «Wie Sie sehen, mache ich überhaupt keine Mühe.»

«Lassen Sie das», sagte der leitende Polizist, der hinzugekommen war, «und machen Sie kein Aufsehen. Sie sind nicht verhaftet, sondern lediglich vorläufig festgenommen – bis zur Klärung der Angelegenheit.»

«Bitte», schaltete sich Walter Jendrich ein, «ich bin mit Herrn Lademann bekannt und verbürge mich für ihn. Es hat sich alles genauso zugetragen, wie wir es Ihnen geschildert haben. Herr Lademann braucht sich nicht das geringste vorwerfen zu lassen.»

«Dann hat er ja auch nichts zu befürchten», gab der Polizist zurück. «Wir werden auf jeden Fall alles überprüfen.» Und zu Lademann gewandt: «Bitte kommen Sie mit!» Die Polizisten entfernten sich.

«Und was ist mit der Vorstellung?» wollte der Vorsitzende wissen.

«Lassen Sie den Film zu Ende laufen», sagte der leitende Beamte nach kurzem Überlegen. «Aber dann ist Schluß. Keine anschließende Versammlung mehr, wenn ich bitten darf. Davon steht nichts in der Genehmigung. Ich lasse sicherheitshalber einen Beamten hier, um weiteren Zwischenfällen vorzubeugen.»

Walter Jendrich ging mit hinaus. «Wir sehen uns morgen», sagte er so unbefangen wie möglich, als Lademann in das bereitstehende Polizeiauto stieg.

Der drehte sich um und gab Walter die Hand. Einen Moment lang schien es, als wolle er noch etwas Wichtiges sagen. Aber dann nickte er nur und murmelte: «Mach's gut!»

Sekunden später sah Walter Jendrich nur noch die Rücklichter des Autos in der dunklen Straße verschwinden. Es war spät. Die Straßenlaternen warfen ein trübes Licht auf das Kopfsteinpflaster.

Vor dem Eingang des Lokals standen noch ein paar Leute, die die Vorstellung ebenfalls verlassen hatten. Sie rauchten und versuchten, sich über das Geschehene klarzuwerden.

«Die Burschen sind von der Kampfgruppe gegen Unmenschlichkeit angeworben worden», hörte Walter jemand sagen.

«Woher willst du das wissen?» fragte ein anderer.

«Einer der Polizisten war ein Bekannter von mir. Der hat es mir gesagt. Die Kerle haben für ihren Auftritt fünf Mark pro Nase bekommen.»

«Wenn die Polizei das weiß, warum tut sie nichts dagegen?»

«Mann, du bist vielleicht naiv. Die Polizei ist nicht dazu da, politische Demonstrationen für die Freiheit zu unterdrücken. Sie hat lediglich für Ruhe und Ordnung zu sorgen. Na, und hat sie das denn vielleicht nicht getan?»

Benommen ging Walter weiter. Rings um ihn herum war es Nacht. Nur von weitem krakeelte es aus einer Kneipe: «So ein Tag, so wunderschön wie heute ...» Als Walter Jendrich gegen Mittag des nächsten Tages Karl Lademann in seiner Wohnung aufsuchen wollte, erfuhr er, daß er zu spät kam. Karl Lademann hatte sich noch in der Nacht, nachdem er von der Polizei entlassen worden war, im Fahrradraum unter seiner Wohnung erhängt. Ein Arbeiter, der zur Frühschicht wollte, hatte ihn entdeckt. Aber da war er schon tot. «Der Mann war einfach fertig», sagte der Hausverwalter. «Wenn man so wie der ... Und was der wohl alles mitgemacht hat? Und richtige Arbeit hat er auch nie gehabt. Da war wohl seine Lunge dran schuld – Tbc hat er, glaub ich, früher gehabt. Und dann seine politischen Ansichten. Also, ich weiß nicht. Man kann es einem heutzutage nicht verdenken, wenn er mit Politik nichts zu tun haben will. Und einer, der deswegen gesessen hat. Also, wenn Sie mich fragen, so einen würde ich nicht einstellen ...» Walter Jendrich bewegte sich wie ein Schlafwandler durch die belebte Innenstadt. Der Verkehr floß wie immer, Autos bremsten, Straßenbahnen rumpelten, Menschen hasteten auf den Bürgersteigen. Was war geschehen? Nichts konnte geschehen, das diesen Strom der Geschäftigkeit aufhielte. Zerscharre einen Ameisenhaufen – seine fleißigen Bewohner werden nicht aufhören zu rennen, zu schuften und das zu tun, was sie immer getan haben.

An einem Kiosk blieb Walter stehen und kaufte sich eine Zeitung. Irgendwo auf einer der Innenseiten fand er die Meldung: «Bürger protestieren gegen KP-Propaganda: – Gestern abend kam es im Gasthaus zur Eintracht bei einer Filmvorführung, die der kommunistisch gelenkte Demokratische Kulturbund veranstaltete, zu einem Zwischenfall. Empörte Bürger drangen in den Saal ein und verlangten im Namen der Freiheit die Absetzung des sowjetischen Propagandafilms. Einer der Anwesenden, der daraufhin einen Tumult auslöste, wurde von der später eintreffenden Polizei vorläufig festgenommen. Wie aus Kreisen der Landesregierung zu erfahren war, erwägt man ein Verbot aller Organisationen, die unsere Verfassung unterhöhlen und Ruhe und Ordnung in diesem Land gefährden.»

Schlußwort

Nach alldem sehe ich klarer. Mein Vater hatte es nicht leicht. Und er hat es sich nicht leichtgemacht. Was als Summe seiner Erfahrungen unter dem Strich herauskommt, sind zwei Forderungen: Aufpassen und sich engagieren.

Viele sagen auch heute wieder, Politik ist kalter Kaffee. Man sollte sich damit gar nicht befassen. Aber das ist falsch. Denn dann befassen sich die anderen damit. Und das sind meist die falschen. Wir haben heute eine Demokratie. Niemand ist gezwungen, hinter einer Fahne herzumarschieren und etwas mitzumachen, was er nicht will. Aber der Verantwortung ist er deshalb nicht enthoben. Die Demokratie ist entweder eine Sache aller, oder sie ist keine.

Und da heißt es nun aufpassen: Viele meinen halt, in schwierigen Zeiten, wenn es wirtschaftlich nicht so gut läuft und es viele Arbeitslose gibt, dann muß man eben zurückstecken, sich mit politischen Aktivitäten zurückhalten und seine Meinung auf Sparflamme kochen. Aber genau das hieße, den Extremisten von rechts und links Tür und Tor öffnen. Sie lauern gleich um die Ecke, bis die Bürger ängstlich und unkritisch geworden sind und nach dem starken Mann zu rufen beginnen. Viele verweisen auf die Geschichte und sagen: Das war schon immer so, daß in Notzeiten mit harter Hand regiert werden mußte. Im alten Rom, da hatten sie in Friedenszeiten zwei Konsuln an der Spitze, im Krieg jedoch nur einen, weil ein einzelner schneller und radikaler entscheiden kann als mehrere, die erst abstimmen müssen. Aber mit Demokratie hatte das nichts mehr zu tun. Es führte in Rom denn auch zu einer Art klassischem Faschismus – zum Cäsarentum. Das geht sehr schnell, wenn die Leute den Wohlstand höher veranschlagen als die freie Meinung. Dann schrumpfen auch die anderen Freiheiten schnell zusammen. Und da heißt es, sich engagieren.

Mit ein bißchen Rechtsstaat, ein bißchen Demokratie ist uns nicht gedient. Beides muß uneingeschränkt wirken, wenn es verteidigungswürdig bleiben soll. Sich engagieren! Mit dem Finger darauf zeigen, wenn irgendwo gemogelt wird. Wenn sie Demokratie sagen und dabei den Polizeiknüppel schwingen. Der wird sich sonst als Bumerang erweisen. Demokratie läßt sich niemals mit Radikalismus verteidigen.

Ich verstehe meinen Vater jetzt besser. Und auch seine Generation ist mir nicht mehr fremd. Man muß sich nur in ihre Lage versetzen. Man hat sie mit harter Hand erzogen. Hat sie gelehrt, daß kämpfen, zerstören und vernichten im höheren Sinne notwendig und außerdem gut und ehrenvoll sein kann. Als der Krieg zu Ende war und sie geschlagen heimkehrten, da blieb ihnen keine Zeit zum Grübeln. Sie mußten in die Hände spucken und wiederaufbauen, was bei dem ganzen heldenhaften Unfug in Scherben und Trümmer gegangen war. Da gab es niemanden, bei dem sie sich ausweinen konnten, der ihnen wohlwollend auf die Schulter klopfte. Man erwartete einfach von ihnen, daß sie funktionierten. Und sie schufteten schweigend. Zum Schluß fielen dann auch wir, die junge Generation, über sie her, beklagten uns, daß sie nicht genügend Verständnis für uns aufbringen. Dabei vergaßen wir, daß das Wort Verständnis gar nicht unter den Vokabeln zu finden war, die man ihnen beigebracht hatte. Sie hatten in ihrem Leben so viel Prügel einstecken und austeilen müssen, daß sie zum Streicheln nicht mehr fähig waren. Und das sollten wir ihnen nicht nachtragen. Wir sollten für sie etwas mehr Verständnis haben.

Was ich sage, gilt für meinen Vater und viele andere. Natürlich nicht für alle. Es gibt noch eine große Anzahl anderer, die nichts aus ihren Erfahrungen gelernt haben. Die das geblieben sind, wozu man sie erzogen hat: Ellbogenmenschen, militante, engstirnige Spießer, denen ein neuer Hitler gerade recht käme, um aus Deutschland wieder einen Kasernenhof machen zu können, mit Ordnung, kurzgeschorenen Haaren und Händen an der Hosennaht. Gegen die müssen wir uns wehren. Das sind wir unseren Vätern schuldig, denen, die guten Willens sind.

Namen- und Begriffserklärungen

Achtacht, Geschütz.

Auschwitz, Stadt in Polen; ab 1940 in der Nähe ein Konzentrationslager.

Badoglio, Pietro, 1871–1956, italienischer Offizier, nach dem Sturz Mussolinis 1943/44 Ministerpräsident.

Chamberlain, Neville, englischer Politiker, 1869–1940. 1937–1940 war er Premierminister. Seine Hoffnung, durch das Münchner Abkommen den Weltfrieden retten zu können, wurde enttäuscht.

Daladier, Edouard, französischer Politiker, *1884, war als Radikalsozialist seit 1924 wiederholt Minister und Ministerpräsident (zuletzt 1938/39); am Münchner Abkommen beteiligt, 1943–45 in Deutschland interniert.

Flak, Abkürzung für Flugabwehrkanone, im 1. und 2. Weltkrieg zur Bekämpfung feindlicher Flugzeuge und im Erdkampf gegen Panzer eingesetztes Geschütz.

Gestapo, Abkürzung für Geheime Staatspolizei; politische Polizei in Deutschland 1933–1945. Ihre Aufgabe war neben der Ermittlung politischer Straftaten die Verfolgung aller Personen, die das NS-Regime als seine Gegner betrachtete.

Hakenkreuz, ein uraltes Symbol in Kreuzform, dessen Enden rechtwinklig umgebogen sind; als Sinnbild der Sonne oder als zwei sich kreuzende Blitze gedeutet. Von den Nationalsozialisten als Parteiemblem übernommen.

HJ, Abkürzung für Hitler-Jugend; Teilorganisation der NSDAP zur Erfassung und Gleichschaltung aller Jugendlichen vom 10. bis zum 18. Lebensjahr, 1926 als Nachwuchsorganisation der SA gegründet.

Itzig, Kurzform von Isaak, verächtlich für: Jude.

Jabo, Abkürzung für Jagdbomber.

Jungvolk, Teilorganisation der Hitler-Jugend. Jungvolk waren 10- bis 14jährige Jungen.

KP, Abkürzung für Kommunistische Partei.

Kübelwagen, militärisches Kraftfahrzeug.

Lidice, böhmisches Dorf westlich von Prag; von der SS 1942 vollständig zerstört.

Me 109, das berühmteste, gefürchtetste und mit 33 573 Maschinen am meisten gebaute Jagdflugzeug der deutschen Luftwaffe, von den Messerschmitt-Werken entwickelt.

Me 262, Turbinenjäger.

MG, Abkürzung für Maschinengewehr, eine automatische Feuerwaffe.

MG 42, eine automatische Feuerwaffe, die bei einer Feuergeschwindigkeit von über 1000 Schuß in der Minute entweder vom Zweibein oder bei großer Schußentfernung von einer tragbaren Lafette aus verwendet wird.

Morgenthau-Plan, der von dem US-amerikanischen Finanzminister Henry Morgenthau jr. während des 2. Weltkrieges entwickelte Plan zur endgültigen Sicherung vor möglichen Aggressionen Deutschlands. Der Plan wurde 1944 wieder fallengelassen.

MP, Abkürzung für Maschinenpistole; im Prinzip ein leichtes Maschinengewehr, das ein Mann allein und freihändig schießend handhaben kann.

Nazi, umgangssprachlich für Nationalsozialist.

NSDAP, Abkürzung für Nationalsozialistische Deutsche Arbeiterpartei. Sie gewann seit 1919 in steigendem Maß Einfluß, war seit 1930 eine starke Partei, bestimmte 1933–1945 die Politik Deutschlands und fand 1945 durch den Zusammenbruch Deutschlands ihr Ende.

o8, ein Maschinengewehr- bzw. Pistolentyp.

Nürnberger Prozesse, auf Grund des Londoner Vertrags vom 8. 8. 1945 nach Beendigung des 2. Weltkrieges in Nürnberg durchgeführte Prozesse gegen die für die Kriegführung und die dabei begangenen Verbrechen gegen den Frieden, das Kriegsrecht und die Menschenrechte verantwortlichen Personen vornehmlich des NS-Regimes.

KZ, Abkürzung für Konzentrationslager. Internierungslager, in denen ohne rechtliche Grundlage tatsächliche oder «potentielle» politische Gegner und andere unliebsame Bevölkerungsgruppen gefangengesetzt werden.

O. T., Abkürzung für Organisation Todt, gegründet von dem nationalsozialistischen Politiker Fritz Todt. Die O. T. errichtete während des 2. Weltkriegs kriegswichtige Bauten (Atlantikwall, Luftschutzräume usw.) im Reich und in den von den Deutschen besetzten Ländern.

Panzerfaust, eine Panzernahkampfwaffe (Raketengeschoß) im 2. Weltkrieg.

Rommel, Erwin, 1891–1944, deutscher Generalfeldmarschall (1942); 1941–1943 Befehlshaber des Afrikacorps, 1944 Oberbefehlshaber der Heeresgruppe B an der Westfront; wegen seiner Beziehungen zur Widerstandsbewegung von Hitler zum Selbstmord gezwungen.

russisches Roulett, grausames Selbstmordspiel mit einem Trommelrevolver, der nur mit einer Kugel geladen ist. Der Revolver geht reihum, niemand weiß, ob er sich umbringt, wenn er die Waffe an seine Schläfe hält und abdrückt.

SA, Abkürzung für Sturmabteilung, militärähnliche Formation der NSDAP, entstand aus seit 1920 bestehenden Parteikampfgruppen und wurde zu einer Parteiarmee mit über zwei Millionen Mitgliedern entwickelt.

Sani, Abkürzung für Sanitäter.

Scholl, Hans, *1918, Sophie, *1921, als Mitglieder der Widerstandsgruppe «Weiße Rose» vom Volksgerichtshof zum Tode verurteilt und am 22. 2. 1943 hingerichtet.

SS, Abkürzung für Schutzstaffel, eine Formation der NSDAP, 1925 zunächst zum Schutz Hitlers gegründet, seit 1929 unter Himmler zur «Eliteformation» ausgebaut.

Stalingrad, 1925–1961 Name der sowjetischen Stadt Wolgograd. Im 2. Weltkrieg war Stalingrad schwer umkämpft. Die Kapitulation der deutschen 6. Armee 1943 bedeutete den Wendepunkt des Kriegsgeschehens an der Ostfront.

Stukaflieger, Abkürzung für Sturzkampfflieger, ein Bomber robuster Bauart, der zur besseren Treffgenauigkeit im Sturzflug feindliche Punktziele anvisiert und kurz vor dem Abfangen die außenbords aufgehängten Bomben abwirft; vor dem 2. Weltkrieg entwickelt, von Jagdbomber und Schlachtflugzeug abgelöst.

U-Boot, Tauchboot, ist so konstruiert, daß es auch unter Wasser fahren kann. Es taucht durch Aufnahme von Wasserballast in Tauchtanks.

V 1, deutsche Rakete, flog zunächst 600, dann 800 Stundenkilometer und besaß eine Reichweite von 370 Kilometern. Nach dem Krieg haben alle ehemaligen Feindmächte die V 1 nachgebaut.

V 2, deutsche Rakete, Geschwindigkeit betrug 5470 Stundenkilometer, Flughöhe 96 Kilometer, Höchstreichweite 400 Kilometer. In noch größerem Maße als die V 1 wurden die V 2 und ihre deutschen Weiterentwicklungen in der Nachkriegszeit zur Grundlage der gro-

ßen Raketenprogramme der USA und der UdSSR.

Verfassungsschutz, alle Maßnahmen zur Festigung und Verteidigung der Verfassung gegen Verfassungsverletzungen.

Vierling, Schußwaffe, bei der vier Rohre gemeinsam gerichtet und abgefeuert werden können.

Völkischer Beobachter, nationalsozialistische Tageszeitung, Zentralorgan der NSDAP seit 1923. Am 27. 4. 1945 erlosch die Zeitung.

Volkssturm, durch Erlaß Hitlers vom 25. 9. 1944 gebildete Kampforganisation, die die deutsche Wehrmacht im 2. Weltkrieg unterstützen und den «Heimatboden mit allen Waffen und Mitteln» verteidigen sollte. Die aus 16- bis 60jährigen Männern zusammengesetzten Einheiten unterstanden den NSDAP-Gauleitern.

Währungsreform, die Wiederherstellung der durch Inflation zerrütteten Währungsstabilität.

Zentrumspartei, katholische Partei im Kaiserreich und in der Weimarer Republik. Bis 1906 praktisch Regierungspartei. 1933 wurde sie zur Selbstauflösung gezwungen.

rotfuchs im Unterricht
Ideen und Materialien
für Lehrerinnen und Lehrer

herausgegeben von
Malte Dahrendorf
und Peter Zimmermann

Breest, Tollwut
Bestell-Nr. 77 87 93

Burger, Warum warst du in der Hitler-Jugend
Bestell-Nr. 77 84 59

Dahl, Sophiechen und der Riese
Bestell-Nr. 77 84 67

Degener, Geht's uns was an?
Bestell-Nr. 77 88 07

Ermatinger, Die 13. Prophezeiung
Bestell-Nr. 77 84 75

Feid, Keine Angst, Maria
Bestell-Nr. 77 88 15

Grün, Vorstadtkrokodile
Bestell-Nr. 77 84 91

Haß, Teufelstanz
Bestell-Nr. 77 85 05

Hüttner, Komm, ich zeig dir die Sonne
Bestell-Nr. 77 85 21

Kekulé, Ich bin eine Wolke
Bestell-Nr. 77 85 48

Kekulé, Das Blaue vom Himmel
Bestell-Nr. 77 85 3X

Korschunow, Wenn ein Unuguno
Bestell-Nr. 77 88 31

Kirchner, Wir durften nichts davon wissen
Bestell-Nr. 77 85 56

Kühn, ...trägt Jeans und Tennisschuhe
Bestell-Nr. 77 85 64

-ky, Heißt du wirklich Hasan Schmidt?
Bestell-Nr. 77 85 72

Ladiges, Hau ab, du Flasche!
Bestell-Nr. 77 85 80

Ladiges, Mach Druck, Zwiebelfisch!
Bestell-Nr. 77 85 99

Lang, Wenn du verstummst...
Bestell-Nr. 77 86 02

Möckel, Kasse knacken
Bestell-Nr. 77 86 10

Naumann, Die schnelle Mark
Bestell-Nr. 77 86 29

Ney, Sie haben mich zu einem Ausländer gemacht...
Bestell-Nr. 77 88 4X

Nöstlinger, Der liebe Herr Teufel/Sommer-Bodenburg, Der kleine Vampir zieht um. Das Biest, das im Regen kam.
Bestell-Nr. 77 86 37

Nöstlinger, Wir pfeifen auf den Gurkenkönig
Bestell-Nr. 77 86 45

O'Sullivan/Rösler, I like you
Bestell-Nr. 77 86 53

Rodrian, Blöd, wenn der Typ draufgeht
Bestell-Nr. 77 86 61

Schaaf, Plötzlich war es geschehen
Bestell-Nr. 77 86 7X

Schulte-Willekes, Schlagzeile
Bestell-Nr. 77 86 88

Selber, Faustrecht
Bestell-Nr. 77 88 58

Steenfatt, Nele
Bestell-Nr. 77 87 0X

Steenfatt, Haß im Herzen
Bestell-Nr. 77 86 96

Welsh, Einmal 16 und nie wieder
Bestell-Nr. 77 88 66

Wendt, Fehler übersehen sie nicht…
Bestell-Nr. 77 88 74

rotfuchs im Unterricht
Ideen und Materialien
für Lehrerinnen und Lehrer

(herausgegeben von Ingrid Röbbelen)

Hetmann / Tondern, Die Nacht, die kein
Ende nahm
Bestell-Nr. 77 85 13

Hetmann / Tondern, Die Rache der Raben
Bestell-Nr. 77 88 82

Hetmann / Tondern, Das Pferd ohne Reiter
Bestell-Nr. 77 88 9-0

rotfuchs im Unterricht
Ideen und Materialien
für Lehrerinnen und Lehrer

*(herausgegeben von Hans Heino
Ewers, Volker Prauß, Rainer Köthe
und Ingrid Röbbelen)*

Blaich, Philipp Otto Runge, Die Hül-
senbeckschen Kinder
Bestell-Nr. 77 87 42

Hentschel, Jajas Klau
Bestell-Nr. 77 87 85

Hoffmann, Klein Zaches genannt
Zinnober
Bestell-Nr. 77 87 77

Jockel, Pieter Bruegel, Das Schlaraffenland
Bestell-Nr. 77 87 34

Jockel, Antoine Watteau, Die italieni-
sche Komödie
Bestell-Nr. 77 87 69

Lieckfeld / Straaß / Lausche, Meine Katze
Bestell-Nr. 77 87 26

Poe, Der Goldkäfer
Bestell-Nr. 77 87 50

Walter / Kolb, Mein Baum
Bestell-Nr. 77 87 18

Bezugsbedingungen

Sie erhalten die Lehrerhefte (am
schnellsten) per Scheck (an Rowohlt
Taschenbuch Verlag, Postfach 13 49,
21453 Reinbek) **oder** gegen Überwei-
sung von DM 2,00 / öS 15,00 /
sFr 2,00 (incl. Porto) bei einer **Min-
destbestellmenge von 3 Exemplaren**
nach Ihrer Wahl auf unser Konto
(**Hamburger Sparkasse,
BLZ 200 505 50, Konto-Nr.** 1280 /
163 005). Bitte geben Sie auf dem
Überweisungsformular unbedingt den
Verwendungszweck ‹Lehrerhefte›,
die Bandnummer und Ihre **vollstän-
dige Adresse** an. Der Versand der
Hefte erfolgt gleich nach Eingang
Ihrer Zahlung.